Was macht uns glücklich? Glücklich macht, wenn wir der schlechten Laune ein Schnippchen schlagen, dem Trübsinn die lange Nase zeigen oder ein Unglück abwenden konnten. Wenn wir plötzlich der Liebe begegnen – und die Liebe bleibt. Wenn Freunde Freunde sind, wenn man sie am nötigsten hat. Wenn Wildfremde einem lächelnd helfen. Wenn man für Augenblicke in seine Kindheit und Jugend zurückkehren kann. Wenn auf einmal so ein Tag ist, an dem man die ganze Welt umarmen könnte, wenn das Wunder dann doch passiert …

Genau hiervon – von den schönsten Momenten des Glücks – erzählen in diesen Kurz- und Kürzestgeschichten: Isabel Allende, Elizabeth von Arnim, Jurek Becker, Peter Bichsel, Lily Brett, Eva Demski, Robert Gernhardt, Ernest Hemingway, Hermann Hesse, Erich Kästner, Alexander Kluge, Cees Nooteboom, Amos Oz, Marcel Pagnol, Daniel Picouly und viele andere.

insel taschenbuch 4296
Geschichten, die glücklich machen

Geschichten,

die glücklich machen

Herausgegeben von Clara Paul

Insel Verlag

Umschlagabbildung: Hans Traxler

10. Auflage 2016

Erste Auflage 2014
insel taschenbuch 4296
© Insel Verlag Berlin 2014
Quellennachweise zu dieser Ausgabe am Schluss des Bandes
Alle Rechte vorbehalten, insbesondere das des
öffentlichen Vortrags sowie der Übertragung
durch Rundfunk und Fernsehen, auch einzelner Teile.
Kein Teil des Werkes darf in irgendeiner Form
(durch Fotografie, Mikrofilm oder andere Verfahren)
ohne schriftliche Genehmigung des Verlages reproduziert
oder unter Verwendung elektronischer Systeme
verarbeitet, vervielfältigt oder verbreitet werden.
Vertrieb durch den Suhrkamp Taschenbuch Verlag
Umschlag: Franziska Erdle, GOLD UNLIMITED, München
Satz: Satz-Offizin Hümmer GmbH, Waldbüttelbrunn
Druck: CPI – Ebner & Spiegel, Ulm
Printed in Germany
ISBN 978-3-458-35996-8

Inhaltsverzeichnis

Jener Aufruhr der Liebe

Glückliche Umstände, leihweise

Vielen Dank, M'am

Der Freund fürs Leben

Eine kleine Reise

Ein wahres Wunder

Die guten Investitionen

Für das, was nun folgt

Jener Aufruhr der Liebe

Daniel Picouly
Die Mädchenmauer

Die Zeit in der Schulkantine ist wie ein großes belegtes Brot. Hackfleischauflauf-Salat-Apfelmus zwischen zwei schönen Scheiben Pause. Die erste Scheibe über kümmern wir uns um die Mädchen aus der Mädchenschule. Die hinter der Mauer. Die Unsichtbaren. Die zweite dient mehr der Verdauung: Räuber und Gendarm, Völkerball, Gerangel, klickern und Autos rammen.

Zur Mädchenmauer gehen, das ist eine richtige Expedition. Man darf weder zu klein noch zu groß sein. Bist du zu klein, nennen sie dich »Rotznase«. Wer sich als Rotznase für Mädchen interessiert, kann Gift darauf nehmen, daß er jede Menge spöttische Bemerkungen zu hören kriegt wegen seinem Minischniepel, seinem Tröpfelpiephahn, seinem Pipapullermännchen, oder noch hundert andere Namen, die ich alle in meinem Sammelheft aufgeschrieben habe. Wer zu groß ist, wie die Jungen aus der Neunten, gibt sich mit banalen »Pißnelken« nicht mehr ab. Der ist in einem Alter, wo man sich nicht vom Fleck rührt. Man sammelt sich in einer Ecke des Hofes und versucht, heimlich eine zu rauchen. Bleibt das Alter dazwischen. Es besteht aus denen, die es schaffen, die Mauer zu erklimmen, das sind die Kletteraffen, und den anderen, die das nicht schaffen, das sind die Bleiärsche. Aber ein Kletteraffe kann sich in den Dienst eines Bleiarsches begeben. Als »Briefträger«. Unzählige Dosen Pastillen, Lakritze, Bonbons und Mäusespeck sind dafür schon bezahlt worden. Ich bin der Briefträger von Bonbec, meinem Banknachbarn. Der ist eine Art Süßigkeiten-Vielfraß, und seine Taschen sind immer gestopft voll mit sämtlichen Bonbonsorten, die es gibt. Er ist in eine große Flache mit Sommersprossen verliebt, deren Lächeln »in der Sonne strahlt wie Silber«. Hat er selber gesagt.

Briefträger spielen ist nicht ungefährlich. Wenn eine Lehrerin einen erwischt, muß man möglicherweise in der Mädchenschule in der Ecke stehen, in einer vierten Klasse, auf dem Podium, die Hände auf dem Kopf, eine Tafel im Rücken, auf der steht: »Ich wollte die Mädchen auf und ab gehen sehen«, mit Vor- und Zuname unterschrieben. Genau das ist mir neulich passiert.

»Was hast du auf der Mauer gemacht?«

»Ich wollte die Mädchen auf und ab gehen sehen.«

»Na gut, dann schreiben wir das auf die Tafel.«

Eigentlich bin ich sogar stolz: Es ist das erste Mal, daß einer meiner Sätze aufgeschrieben wird, und auch noch so groß. Und wenn ich meinen kleinen Schwestern begegne? Egal, die tun dann so, als würden sie mich nicht kennen. Sonst bekommen sie nämlich weder Kaulquappen zu sehen noch eine Blitzgeschichte zu hören. Die Hände auf dem Kopf, so durchquere ich die Turnhalle, wo die Kleinen aus der zweiten Klasse in ihren pluderigen kurzen Höschen mit Gummizug gerade Turnen haben. Ich stehe auf einem Podium, mit dem Rücken zu der flüsternden Klasse. Ich hätte auch gern einen Gummi im Bund von meiner kurzen Hose, und zwar einen kräftigen. Ich spüre nämlich, wie mir die Hose rutscht. Die Taschen sind voll mit Murmeln, soeben in der Pause gewonnen, als ich Lali gerupft hab. Ein wahrer Glasmurmelschatz. Jetzt werde ich selber gerupft, wenn die Hose noch weiterrutscht. Die Mädchen werden meinen Hintern sehen, so blank wie ein Hühnerhintern auf dem Markt. Ich kann mich verrenken, so viel ich will, den Bauch aufblähen, mich erst auf das eine Bein stellen und dann auf das andere, ich verliere Millimeter um Millimeter. Schon spüre ich einen Streifen Kühle über meinem Gürtel. Ich frag mich, wie meine Unterhose heute wohl aussieht. Habe ich überhaupt eine an?

»Und wenn du auf der Straße einen Unfall hast?«

Ein Unfall auf der Straße, das ist eine der »fixen Ideen« von der M'am, wie sie das nennt. Ein Unfall mit Löchern in den Strümpfen, zerrissenem Unterhemd und schmutziger Unterhose. Als würde man sich nur sauber anziehen, um sich dann von einem Auto über den Haufen fahren zu lassen!

»M'am, jetzt ist nicht der passende Moment zum Nachsehen.«

Ich versuche, meine Hose hochzuziehen.

»Lass die Hände auf dem Kopf!«

Der Bindfaden, der mir als Gürtel dient, ist eben über den Hüftknochen gerutscht. Hastig gehe ich im Kopf durch, was ich über das menschliche Skelett gelernt habe: Aber nein, nicht der kleinste Knochen mehr da, um die Hose aufzuhalten. Dabei haben wir 272 Stück. Gleich gibt's die magische Rutschbahn vom Fest in Neu-Neu und die Entdeckung des Schatzes der Zwei Monde. Mein Schatz, das sind meine Murmeln. So ist das im Leben, besser, man verliert seinen Schatz als das Gesicht. Also wackele ich ein bißchen wie ein Südsee-Tänzer, sodaß meine Murmeln leicht in den Hosentaschen knirschen.

»Was höre ich denn da? Komm her!«

Ich nutze die Gelegenheit, um hastig meine Verpackung festzuschnüren.

»Mach die Taschen leer!«

Mit Vergnügen. Ich reihe die Murmeln auf dem Pult auf. Meine Hose, um den Ballast erleichtert, steigt wie ein Freiballon. Die Fenster zu, sonst fliege ich noch weg! »Oh!« Die Lehrerin klingt, als hätte sie ein Kästlein mit Geschmeide geöffnet. Sie

nimmt eine Glasmurmel in die Hand und läßt sie im Sonnenlicht schillern.

»Das ist ein Katzenauge, Madame.«

Ich habe es gewagt, den Mund aufzumachen. Sie rollt mit den
Augen, die keiner Murmel ähneln. Ich mache mich darauf gefaßt, eine 1a-Ohrfeige zu bekommen. Aber nichts.

»Und die hier?«

»Die nenne ich Rotkehlchen, Madame.«

»Und die braune da?«

»Zimtstern, Madame.«

»Du kennst sie alle, was?«

»Ja, Madame!«

In Wahrheit erfinde ich, wenn nötig. Manche Namen kann
man einer Dame nicht so leicht verraten. Ebendiejenige, die
sie jetzt hochhält, eine schwarze mit braunen Sprenkeln, die
nennen wir »Nonnenarsch« …

»Und diese schöne, schwarzbraune Murmel?«

»Ähhh … ähhh … Der Teufelsfinger, Madame!«

»Das ist aber hübsch.«

Das Gesicht der Lehrerin entspannt sich. Jetzt hat sie Augen
wie »Ruhiges Meer«, meine Lieblingsmurmel. Sie klatscht in
die Hände.

»Kommt her, Mädchen. Wir wollen die hübschen Namen der
Murmeln lernen.« Auf einmal bin ich von lauter Mädchen umringt. Wenn das meine Freunde sehen könnten! Ein Märchen
aus Tausendundeiner Nacht am hellichten Tage. Besser als in
dem dicken Buch aus unserer Klassenbibliothek. Alle, die ich
von der Mauer herab nicht erkennen konnte, sind da: die Große mit den roten Zöpfen, der Dickpopo, die Braune mit der
runden Brille, die Blonde mit dem Faltenrock, die Lockige,
die schon Formen kriegt, die Bohnenstange, das Mädchen mit
dem goldenen Kreuz, die kleine Kugel mit dem Haarreif. Und

sogar die große Flache mit den Sommersprossen, der ich von Bonbec ein paar dicke Pierrot-Gourmand-Karamellbonbons geben soll, von denen kosten vier einen Franc. Ich muß Bonbec erzählen, daß sie eine Zahnspange trägt und deswegen ihr Lächeln »in der Sonne strahlt wie Silber«, Bonbons kann sie also keine essen. Er kann ihr bloß noch Gedichte schreiben.

Und die da? Und die da? Mir dreht sich der Kopf von den Fragen der Mädchen. Meine Auslage ist bald so durcheinander wie beim alljährlichen Flohmarkt auf dem Rondell. Ich verrate alle Namen, die ich kenne, und erfinde noch eine ganze Menge dazu. Ein wahrer Wirbel von hohen Stimmen und von Düften. Mädchen riechen so gut. Ich kenne nur meine Schwestern. Von der Mauer oben merkt man gar nicht, was es alles für Düfte gibt: Flieder, Maiglöckchen, Rose, Linde, Jasmin, Farn, Kölnisch Wasser. All die Namen hätte ich gern von ihnen gelernt. Aber ich glaube, das Wort »Parfüm« ist dazu erfunden worden, daß die Düfte ein Geheimnis der Mädchen bleiben können.

Endlich schickt die Lehrerin sie alle auf ihre Plätze zurück. Sie haben gefragt, ob sie jede eine Murmel als Erinnerung mitnehmen dürfen. Mit so einer Strafe, die aussieht wie ein Geschenk, bin ich einverstanden. Meine Hose hätte sowieso nicht mehr lange gehalten. Und dann hätte ich einen Namen für das erfinden müssen, was sie dann zu sehen bekommen hätten. Ich mach ja fast alles, ich konjugiere sogar freiwillig unregelmäßige Verben, wenn ich dafür meinen Hintern nicht zu zeigen brauche.

»Wenn ich recht verstehe, hat meine Süße also ein Pferdegebiß!«

Ich erkläre Bonbec, daß die große Flache mit den Sommersprossen kein Pferdegebiß hat, sondern eine Zahnspange »für Reiche«. Für die Schönheit, damit sie ein niedliches Lächeln bekommt. Beruhigt feilt er weiter an seinem Gedicht. Er streckt die Zunge zwischen die Zähne, schwitzt, aber der Versfuß will immer noch nicht stimmen. Mal lahmt er, mal krabbelt er wie ein Tausendfüßler; außerdem will Bonbec um jeden Preis »Zähne« mit »ich sehne« reimen.

»Mach du mir doch eins.«

Ich tu's. Er liest. Runzelt die Stirn. Zieht einen Flunsch. Und gibt es mir zurück.

»Unmöglich. Da sind Wörter drin, die ich nicht verstehe. Wenn sie mich fragt …«

Bonbec verzichtet auf das Gedicht und verlegt sich auf ein Schmuckstück. Mädchen mögen Schmuck! Ein Ring aus dem Automaten. Man muß bis nach Le Raincy hoch, zu Goulet-Turpin, dem kleinen Supermarkt. Der Erste, den der Automat ausspuckt, ist aus Silber, mit einem Totenschädel und einer Schlange. Als Verlobungsring unmöglich. Noch einen! Bonbecs Bäckergroschen schwinden dahin, aber »Die Liebe muß man sich was kosten lassen«, meint er und findet, das klinge prima erwachsen. Er bittet, fleht, streichelt den Automaten, bevor er wieder an der kleinen Schublade zieht. Rrratsch! … Da erscheint er in seinem Pappschrein: ein wahres Wunder, direkt aus dem Thronschatz von Bagdad. Aus Gold, mit einem Smaragd und einem Saphir. Also genauer: goldfarbig, grün und blau.

»Glaubst du, ihre Finger sind so klein?«

»Mädchenfinger sind unglaublich, das kannst du dir gar nicht vorstellen. Ich weiß nicht, wie die damit zurechtkommen.«

Wir gehen zurück, ohne in der Bäckerei haltzumachen. Seit wir aus dem kleinen Supermarkt gekommen sind, wirkt Bonbec wortlos und zerknirscht. Plötzlich bleibt er stehen und schaut sorgenvoll wie ein Alter. In einem Kilometer um zehn Jahre gealtert.

»Und wie überreicht man so was? So?«

Er tut so, als wäre die Pappschachtel ein Stein in dem Spiel, bei dem wir versuchen, möglichst dicht an die Mauer zu werfen.

Langsam wird mein Hunger immer größer. Mit der Schulspeisung dauert es noch. Lehrer und Lehrerinnen stehen in einer Ecke des Hofes und unterhalten sich. Bonbec steht gegen die Mädchenmauer gepreßt, sein Verlobungsgeschenk in der Hand.

»Willst *du* es ihr nicht lieber geben?«

Bonbec hält mir die Schachtel mit dem Ring aus dem Automaten hin. Er hat sie in das blaue Papier gewickelt, mit dem wir die Bibliotheksbücher einschlagen. Ob Roland damals bei Christiane auch einen vorgeschickt hat? Ich hab das mal gesehen, als ich in der Ferienkolonie auf dem Land war. Da wurde ein ziemlich unansehnlicher Hengst zur Stute gebracht, und beide haben sich überall beschnüffelt. Danach kam ein anderer, sehr viel schönerer Hengst, der sie dann bestiegen hat, und zwar nicht gerade mit einem Minischniepel, weiß Gott! Es dauert nicht lang, und schon gehen beide wieder ihres Weges. Bei den Menschen sieht mir das schon komplizierter aus. Der Hengst, der nur zum Schnüffeln kommt, wird »Anheizer« genannt, hat uns der Betreuer erklärt. Komischer Name. Also Bonbecs Briefträger will ich ja gern sein, aber nicht sein Anheizer. Ich kann es nicht leiden, daß mich wer beschnüffelt.

Nicht lange, und ich bin mit Bonbec handelseinig. Für einen 2CV von Dinky Toys klettere ich auf die Mauer. Eine Gruppe Mädchen spielt mit dem Springseil. Die Röcke fliegen, man sieht ihre Knöchel, ihre Knie, ihre Schenkel und manchmal ein Stückchen ihrer weißen Unterhosen, wenn sie besonders rasch hüpfen.

Ein bißchen wie das Strumpfband der Braut, wenn sie am Ende der Hochzeitsfeier auf den Tisch steigt. Jemand hebt den Rocksaum immer höher, je mehr Geld in die Sangria-Schüssel fällt.

Spenden für die Hochzeitsreise. Ich höre gern zu, wie einer den Marktschreier für die Brautleute macht. Brauchen schon eine Menge Moos, wenn sie das Meer zu sehen bekommen sollen.

»Siehst du sie? Siehst du sie?«
Der Bonbec geht mir auf den Wecker, daß er so rumkläfft. Gleich entdecken uns die Lehrer. Ja, ich habe seine große Flache mit den Sommersprossen und der Zahnspange gesehen. Sie spielt »Himmel und Hölle«. Im Augenblick geht es Richtung »Himmel«. Ich warte, daß sie wieder kehrtmacht, damit ich ihr ein Zeichen geben kann. Sie spielt gut. Toll beweglich beim Hüpfen und geschickt mit dem Stein beim Werfen. Ah! Sie hat sich gebrannt. Schade! Ich hebe den Kopf, um sie auf mich aufmerksam zu machen. Sie ist groß, sie hat mich gesehen. Schon kommt sie wie zufällig zur Mauer geschlendert. Wäre sicher eine prima Spionin. Ich zeige ihr die Schachtel und mache mit den Fingern Zeichen, daß ein Ring darin ist, für sie. Ich weiß nicht, was sie genau versteht, aber sie hebt den Rock, als wollte sie Kirschen in einer Schürze auffangen. Ich werfe ihr den Ring zu. Volltreffer! Sie läßt ihn in der Brusttasche des Schulkittels verschwinden, mit ganz leicht geröteten Wangen, hübsch. Mit den Fingerspitzen macht sie mir eine Kußhand. Schon wird sie von den anderen umringt. Bonbec ist besorgt.
»Was macht sie? Was macht sie?«
»Sie schickt dir einen Schmatz.«
Er wäre fast umgefallen vor lauter Aufregung. Seine Beine zittern, und er geht in die Knie. Zum ersten Mal, daß ich leibhaftig vor mir sehe, woher der Ausdruck kommt – in die Knie gehen. Komisch, wie bei Jungen alle Gefühle in den Beinen sitzen.

Hermann Hesse

Der Kavalier auf dem Eise

Damals sah mir die Welt noch anders aus. Ich war zwölfein-
halb Jahre alt und noch mitten in der vielfarbigen, reichen Welt
der Knabenfreuden und Knabenschwärmereien befangen. Nun
dämmerte schüchtern und lüstern zum ersten Male das weiche
Ferneblau der gemilderten, innigeren Jugendlichkeit in meine
erstaunte Seele.

Es war ein langer, strenger Winter, und unser schöner Schwarz-
waldfluß lag wochenlang hart gefroren. Ich kann das merkwür-
dige, gruselig-entzückte Gefühl nicht vergessen, mit dem ich
am ersten bitterkalten Morgen den Fluß betrat, denn er war tief
und das Eis war so klar, daß man wie durch eine dünne Glas-
scheibe unter sich das grüne Wasser, den Sandboden mit Stei-
nen, die phantastisch verschlungenen Wasserpflanzen und zuweilen den dunklen Rücken eines Fisches sah.

Halbe Tage trieb ich mich mit meinen Kameraden auf dem
Eise herum, mit heißen Wangen und blauen Händen, das Herz
von der starken rhythmischen Bewegung des Schlittschuhlaufs
energisch geschwellt, voll von der wunderbaren gedankenlosen
Genußkraft der Knabenzeit. Wir übten Wettlauf, Weitsprung,
Hochsprung, Fliehen und Haschen, und diejenigen von uns,
die noch die altmodischen beinernen Schlittschuhe mit Bindfaden an den Stiefeln befestigt trugen, waren nicht die schlech-
testen Läufer. Aber einer, ein Fabrikantensohn, besaß ein Paar
»Halifax«, die waren ohne Schnur oder Riemen befestigt und
man konnte sie in zwei Augenblicken anziehen und ablegen.
Das Wort Halifax stand von da an jahrelang auf meinem Weih-
nachtswunschzettel, jedoch erfolglos; und als ich zwölf Jahre
später einmal ein Paar recht feine und gute Schlittschuhe kau-

fen wollte und im Laden Halifax verlangte, da ging mir zu meinem Schmerz ein Ideal und ein Stück Kinderglauben verloren, als man mir lächelnd versicherte, Halifax sei ein veraltetes System und längst nicht mehr das Beste.

Am liebsten lief ich allein, oft bis zum Einbruch der Nacht. Ich sauste dahin, lernte im raschesten Schnellauf an jedem beliebigen Punkte halten oder wenden, schwebte mit Fliegergenuß balancierend in schönen Bogen. Viele von meinen Kameraden benutzten die Zeit auf dem Eise, um den Mädchen nachzulaufen und zu hofieren. Für mich waren die Mädchen nicht vorhanden. Während andere ihnen Ritterdienste leisteten, sie sehnsüchtig und schüchtern umkreisten oder sie kühn und flott in Paaren führten, genoß ich allein die freie Lust des Gleitens. Für die »Mädelesführer« hatte ich nur Mitleid oder Spott. Denn aus den Konfessionen mancher Freunde glaubte ich zu wissen, wie zweifelhaft ihre galanten Genüsse im Grunde waren.

Da, schon gegen Ende des Winters, kam mir eines Tages die Schülerneuigkeit zu Ohren, der Nordkaffer habe neulich abermals die Emma Meier beim Schlittschuhausziehen geküßt. Die Nachricht trieb mir plötzlich das Blut zu Kopfe. Geküßt! Das war freilich schon was anderes als die faden Gespräche und scheuen Händedrücke, die sonst als höchste Wonnen des Mädleführens gepriesen wurden. Geküßt! Das war ein Ton aus einer fremden, verschlossenen, scheu geahnten Welt, das hatte den leckeren Duft der verbotenen Früchte, das hatte etwas Heimliches, Poetisches, Unnennbares, das gehörte in jenes dunkelsüße, schaurig lockende Gebiet, das von uns allen verschwiegen, aber ahnungsvoll gekannt und streifweise durch sagenhafte Liebesabenteuer ehemaliger, von der Schule verwiesener Mädchenhelden beleuchtet war. Der »Nordkaffer« war ein vierzehnjähriger, Gott weiß wie zu uns verschlagener Hamburger Schuljunge, den ich sehr verehrte und dessen fern der Schule blühender Ruhm mich oft nicht schlafen ließ. Und Emma Meier war unbestritten das hübscheste Schulmädchen von Gerbersau, blond, flink, stolz und so alt wie ich.

Von jenem Tage an wälzte ich Pläne und Sorgen in meinem Sinn. Ein Mädchen zu küssen, das übertraf doch alle meine bisherigen Ideale, sowohl an sich selbst, als weil es ohne Zweifel vom Schulgesetz verboten und verpönt war. Es wurde mir schnell klar, daß der solenne Minnedienst der Eisbahn hierzu die einzige gute Gelegenheit sei. Zunächst suchte ich denn mein Äußeres nach Vermögen hoffähiger zu machen. Ich wandte Zeit und Sorgfalt an meine Frisur, wachte peinlich über die Sauberkeit meiner Kleider, trug die Pelzmütze manierlich halb in der Stirn und erbettelte von meinen Schwestern ein rosenrot seidenes Foulard. Zugleich begann ich auf dem Eise die etwa in Frage kommenden Mädchen höflich zu grüßen und glaubte zu sehen, daß diese ungewohnte Huldigung zwar mit Erstaunen, aber nicht ohne Wohlgefallen bemerkt wurde.

Viel schwerer wurde mir die erste Anknüpfung, denn in meinem Leben hatte ich noch kein Mädchen »engagiert«. Ich suchte meine Freunde bei dieser ernsten Zeremonie zu belauschen. Manche machten nur einen Bückling und streckten die Hand aus, andere stotterten etwas Unverständliches hervor, weitaus die meisten aber bedienten sich der eleganten Phrase: »Hab' ich die Ehre?« Diese Formel imponierte mir sehr, und ich übte sie ein, indem ich zu Hause in meiner Kammer mich vor dem Ofen verneigte und die feierlichen Worte dazu sprach.

Der Tag des schweren ersten Schrittes war gekommen. Schon gestern hatte ich Werbegedanken gehabt, war aber mutlos heimgekehrt, ohne etwas gewagt zu haben. Heute hatte ich mir vorgenommen, unweigerlich zu tun, was ich so sehr fürchtete wie ersehnte. Mit Herzklopfen und todbeklommen wie ein Verbrecher ging ich zur Eisbahn, und ich glaube, meine Hände zitterten beim Anlegen der Schlittschuhe. Und dann stürzte ich mich in die Menge, in weitem Bogen ausholend, und bemüht, meinem Gesicht einen Rest der gewohnten Sicherheit und Selbstverständlichkeit zu bewahren. Zweimal durchlief ich die ganze lange Bahn im eiligsten Tempo, die scharfe Luft und die heftige Bewegung taten mir wohl.

Plötzlich, gerade unter der Brücke, rannte ich mit voller Wucht gegen jemanden an und taumelte bestürzt zur Seite. Auf dem Eise aber saß die schöne Emma, offenbar Schmerzen verbeißend, und sah mich vorwurfsvoll an. Vor meinen Blicken ging die Welt im Kreise.

»Helft mir doch auf!« sagte sie zu ihren Freundinnen. Da nahm ich, blutrot im ganzen Gesicht, meine Mütze ab, kniete neben ihr nieder und half ihr aufstehen.

Wir standen nun einander erschrocken und fassungslos gegenüber, und keines sagte ein Wort. Der Pelz, das Gesicht und Haar des schönen Mädchens betäubten mich durch ihre fremde Nähe. Ich besann mich ohne Erfolg auf eine Entschuldigung und hielt noch immer meine Mütze in der Faust. Und plötzlich, während mir die Augen wie verschleiert waren, machte ich mechanisch einen tiefen Bückling und stammelte: »Hab' ich die Ehre?«

Sie antwortete nichts, ergriff aber meine Hände mit ihren feinen Fingern, deren Wärme ich durch den Handschuh hindurch fühlte, und fuhr mit mir dahin. Mir war zumute wie in einem sonderbaren Traum. Ein Gefühl von Glück, Scham, Wärme, Lust und Verlegenheit raubte mir fast den Atem. Wohl eine Viertelstunde liefen wir zusammen. Dann machte sie an einem Halteplatz leise die kleinen Hände frei, sagte »Danke schön« und fuhr allein davon, während ich verspätet die Pelzkappe zog und noch lange an derselben Stelle stehen blieb. Erst später fiel mir ein, daß sie während der ganzen Zeit kein einziges Wort gesprochen hatte.

Das Eis schmolz, und ich konnte meinen Versuch nicht wiederholen. Es war mein erstes Liebesabenteuer. Aber es vergingen noch Jahre, ehe mein Traum sich erfüllte und mein Mund auf einem roten Mädchenmunde lag.

Jurek Becker

Beim Wasserholen

Beim Wasserholen haben sie sich kennengelernt, an der Pumpe.

Er war ein ganzes Stück vor ihr in der Reihe. Aber er hat einen nach dem anderen vorgelassen, bis sie hinter ihm war. Dann hat er ihr den Eimer vollgepumpt, und dann sich, und dann hat er ihr den Eimer getragen.

»Wo wohnst du?« hat er sie gefragt.

»In der Dworska.«

»Das ist nicht weit. Ich wohne bloß um die Ecke.«

Beim Gehen hat er ihr die Beine naß gemacht, als er mit dem Eimer gegen ihr Knie gestoßen ist. Aber es war Sommer und kein Unglück. Gut, daß sie keine Schuhe anhatte.

»Wie heißt du?«

»Moira heiß ich«, sagte sie.

»Ich heiße Janek.«

Vor ihrem Haus setzte er beide Eimer ab.

»Ich hab eine Tante gehabt, die hieß auch Moira.«

»Warum nicht«, sagte sie. »Viele Leute heißen Moira.«

»Ich hab dich noch nie beim Wasserholen gesehen«, sagte er.

»Sonst geht auch mein Vater immer zur Pumpe. Aber er ist jetzt krank.«

»Was hat er denn?«

»Was soll er schon haben? Wahrscheinlich Typhus.«

»Oje.«

»Ist nicht so schlimm«, sagte sie.

»Was arbeitest du?« fragte er sie.

»Sie warten auf das Wasser«, sagte sie und ging mit dem Eimer ins Haus.

Sie trafen sich nocheinmal an der Pumpe und nocheinmal, und dann trafen sie sich nicht mehr an der Pumpe, sondern woanders. Janek erfuhr, daß sie Schneiderin von Beruf war und Steppdecken zu nähen hatte.

»Und was machst du?«

»Ich arbeite beim Transport auf dem Bahnhof«, sagte er.

»Dann kannst du auch manchmal etwas stehlen?« fragte sie.

»Nur wenig«, sagte er. »Sie passen zu sehr auf. Bloß manchmal, wenn wir Kartoffeln verladen, riskier ich's. Neulich erst haben sie einen dabei erwischt. Er ist gleich erschossen worden.«

»Er wäre sowieso verhungert«, sagte sie.

»Hast du schon immer in Lodz gewohnt?«

»Ja.«

»Ich bin ein Litwok«, sagte er. Er nahm ihre Hand, und sie drückte seine Hand, und die Abendsonne war ganz besonders rot.

»Wie alt bist du?«

»Neunzehn. Und du?«

»Einundzwanzig.«

Vor einem Haus saß ein alter Mann auf der Erde. Die beiden gingen versonnen lächelnd an ihm vorbei, und der Alte schaute ihnen böse nach.

Noch denselben Abend haben sie sich geküßt. Auf dem Hof des Hauses, in dem er wohnte, war ein Schuppen, in dem viel Zeug stand und in den fast nie einer ging. Und sie sind reingegangen und waren ganz allein mit sich. Zuerst haben sie bloß dagestanden und sich angesehen.

Dann hat er sie zu einer Kiste geführt und sich zusammen mit ihr hingesetzt. Sie zierte sich ein bißchen, weil Mädchen sich immer am Anfang ein bißchen zieren. Aber als sie sah, daß er schüchtern war und daß ihr Zieren ihn mutlos machte, hat sie sich schnell küssen lassen, und viel Zeit ist darüber vergangen. Er war ganz überrascht, als auf einmal ihre Brust in seiner Hand war. Doch das Erstaunen war bald vorbei, und er streichelte sie so leise, wie er nur konnte, und den Tag wird er nie vergessen.

»Ach Moira«, sagte er. Er streifte mit dem Mund über ihr Gesicht und merkte, daß es naß war. »Was ist?« fragte er, »Moira, was ist?«

Sie wischte sich die Augen und wendete den Kopf zur Seite.

»Warum weinst du?« Er faßte sie am Kinn und drehte ihren Kopf zu sich.

Sie hielt die Augen geschlossen.

»Weißt du«, sagte sie, »weil der Vater so krank ist, muß er besser essen als sonst, und auch mehr.«

»Du hast Hunger?«

»Es geht schon«, sagte sie.

»Warte hier!« Er sprang auf und rannte hinaus. Nach ein paar Minuten war er zurück. Er gab Moira ein Stück Brot, ein ziemlich großes Stück, und eine Zwiebel. Er mußte es ihr fast in den Mund stopfen, weil sich Mädchen immer zieren. Doch es schmeckte so gut, daß er sie nicht lange zu bitten brauchte. Am Ende waren ihre Augen bloß noch von der Zwiebel naß. Erst als sie alles aufgegessen hatte, fiel ihr ein, daß es sein Abendbrot war und wahrscheinlich sogar noch mehr. Aber er belog sie und sagte, daß er oben noch ein Stück zu liegen hätte. Ein schönes Gefühl, satt zu sein, fand sie.

Sie fingen noch einmal von vorne an, sich zu küssen.

Isabel Allende

Die Liebenden im Guggenheimmuseum

Ein Nachtwächter fand die Liebenden in einem der Säle des
Guggenheimmuseums von Bilbao, wo sie als ein Knäuel aus Armen und Haaren in der Gischt eines ramponierten Brautkleids
schliefen. Das war um fünf Uhr morgens, wie zunächst der
Nachtwächter und dann auch die Polizisten zu Protokoll gaben. Inspektor Aitor Larramendi schrieb in seinem Bericht außerdem, im ganzen Gebäude hätten sich unverkennbare Anzeichen für eine Orgie gefunden. Zwar hatte er selbst nie an einer
teilgenommen – was er im stillen bedauerte –, seine Erfahrung
mit allen erdenklichen Arten menschlicher Ausschweifung be-
fähigte ihn jedoch, die Spuren zweifelsfrei zu deuten. Wie es
diesem unverfrorenen Paar gelungen war, in das Museum ein-
zudringen und dort unentdeckt zu bleiben, konnte nie aufgeklärt werden; die beiden Festgenommenen versicherten, die
Nacht im Gebäude verbracht zu haben, die in ihrer Berufsehre
gekränkten Museumswärter schwören aber bis heute, das sei
ausgeschlossen, da sie wie jede Nacht unermüdlich ihre Runden gedreht hätten. Außerdem, so erklärten sie, erforschen die
Videokameras noch den verborgensten Hintergedanken, und
die Infrarotmelder lösen bei der geringsten Störung Alarm aus.
Das Museum verfügt über magische Augen, und wenn die
nur mit der Wimper zucken, bricht ein Weltuntergangsgetöse
los, das die Polizei, die Feuerwehr und den Museumsdirektor
auf den Plan ruft, einen nervös veranlagten Mann, der ganz
gebeugt ist vom Gewicht der Verantwortung. Die Sicherheits-
experten versichern, daß keine Kakerlake im Guggenheimmuseum unbemerkt bleibt, zwei hemmungslos Verrückte wie diese beiden also erst recht nicht.

»Ich habe die ganze Nacht keine Menschenseele gesehen«, sagte das Mädchen, als sie elf Stunden später im Krankenhaus wieder zur Besinnung kam.

Die Sanitäter hatten sie auf einer Bahre aus dem Gebäude getragen, aber obwohl man sie zugedeckt hatte wie eine Leiche, waren ihre Umrisse unter dem Laken für alle zu erkennen gewesen. Die Schleppe ihres Brautkleides und ihr dunkles Sirenenhaar schleiften über den Boden. In Handschellen wurde unterdessen der nackte junge Mann von zwei Uniformierten zu einem Streifenwagen bugsiert. Die Umstehenden blickten ihm bewegt und neidisch hinterher.

»Von Museumswärtern keine Spur, ehrlich. Die Typen müssen Karten gespielt oder ferngesehen haben. Die halbe Welt hat doch letzte Nacht vor der Kiste gesessen wegen dem Papstskandal, davon haben Sie bestimmt gehört, oder? Wir haben einander wie die Kaninchen durch das ganze Gebäude gejagt, ich, wie Gott mich erschaffen hat, und sie die ganze Zeit im Brautkleid, weil ich diese verflixten Flohknöpfchen nicht aufbekommen habe«, sagte der junge Mann auf der Polizeiwache aus.

Inspektor Larramendi wanderte von Stockwerk zu Stockwerk und sammelte die welken Blumen des Brautstraußes ein. Die Rosen, die in ihrem jungfräulichen Zustand einmal weiß gewesen waren, ruhten als angegilbte Weichtiere auf dem Marmorfußboden und schwängerten die Luft des Guggenheimmuseums mit einem deplazierten Geruch, als wäre hier soeben ein Straßenmädchen zu Grabe getragen worden. Das Brautkleid mit seinen zwölf Metern durchscheinendem Seidentüll, das neu eine zwischen Nähten eingepferchte Wolke gewesen sein mußte, war durch die unverwechselbaren Spuren der Liebe zu einem Fetzen Stoff entweiht. Der Rock und der dreilagige Unterrock hatten als Kopfkissen gedient, und die Königinnenschleppe hatte sechsundsechzig Prozent der Marmorfußböden gefegt, wie der Inspektor durch gewissenhafte Inaugenscheinnahme feststellte. Larramendi, der den treffenden Spitznamen »Bulldogge von Bilbao« trägt, ist ein respekteinflößender Mann, ganze einsfünfundfünfzig hoch, dazu der eidechsenähnliche Körperbau und der riesenhafte Walroßschnäuzer, der wie ein Friseurscherz in seinem Gesicht prangt. Ebendieser Beamte war es auch, der Streifen von Organza fand, gekräuselte Haare und Reste verschiedener Körperflüssigkeiten. Sein Spürhundinstinkt erlaubte es ihm überdies, in der unbewegten Luft des Museums die Erinnerung an die Zärtlichkeiten, die Erregung und die von den Verdächtigen gehauchten Liebesworte wahrzunehmen, und zwar vom Eingang bis in den allerletzten Saal auf der rechten Seite, aber trotz seiner legendären Fähigkeit, Spuren für ein Verbrechen auch da zu entdecken, wo es sie nicht gibt, fand er nicht eine einzige leere Flasche, keinen achtlos weggeworfenen Korken, keinen ausgedrückten Joint, keine Heroinspritze. Folglich konnte Larramendi nicht beweisen, daß die Festgenommenen die Hausordnung in dieser Hinsicht verletzt hatten. Das Mädchen mit dem Brautkleid muß sich betrunken haben, ehe die beiden ins Gebäude eingedrungen sind, schloß der Inspektor messerscharf. Was ihren Begleiter angeht, fanden sich bei der Untersuchung seines Urins lediglich minimale Spuren von Marihuana. Da sich die Hausordnung des Museums über jegliche Form der Unzucht ausschweigt, konnten die beiden juristisch nur dafür belangt werden, daß sie sich nach Schließung noch in dem Gebäude aufgehalten hatten, ein Bagatelldelikt, wenn man bedenkt, daß sie, von der leichten Verunreinigung auf den verschiedenen Stockwerken einmal abgesehen, keinerlei Schaden angerichtet hatten; ganz im Gegenteil strahlten nach Aussage der Angestellten am Tag darauf alle Säle wie von Sonnenlicht durchflutet, obwohl es draußen weiter unablässig regnete. Es hatte die ganze Woche geregnet.

»Deshalb sind wir ja hineingegangen, weil es geregnet hat«, sagte das Mädchen. »Wenn mein Haar feucht wird, kringelt es sich immer so.«

»Warum hattest du das Brautkleid an?« wollte Aitor Larramendi wissen.

»Weil ich keine Zeit zum Umziehen hatte.«

»Wo war die Hochzeit?«

»Welche Hochzeit?«

»Die Hochzeit von dir und Pedro Berastegui, Himmel nochmal.«

»Wer ist das denn?««

»Ja, wer wohl!? Dein Ehemann oder Verlobter, ebendieser Typ, der mit dir im Museum war.«

»Pedro heißt er? Hübscher Name. Und so männlich … finden Sie nicht, Herr Inspektor?«

»Also noch einmal von vorne. Wo und wann habt ihr euch kennengelernt?«

»Das weiß ich nicht mehr. Ich vertrage überhaupt nichts, zwei Gläser, und ich bin ganz beduselt.«

»Offensichtlich. Du warst im Vollrausch.«

»Im Liebesrausch …«

»Liebesrausch nennst du das, aber mit wem du es im Museum getrieben hast, weißt du nicht.«

»Keinen Schimmer.«

»Wie seid ihr dort hineingekommen?«

»Durch die Tür natürlich.«

»Das heißt, ihr seid noch während der Öffnungszeit hineingegangen.«

»Nein, ich glaube, es war schon geschlossen …«

Auch Pedro Berastegui, der glückliche junge Mann, der in der

Zeitung nur noch »der Zauberer der Liebe« hieß, versicherte in seiner Aussage, das Museum habe geschlossen ausgesehen, sie hätten aber einfach hineingehen können, weil die Tür aufgesprungen sei, als sie dagegen drückten. Innen habe ein sanftes Dämmerlicht geherrscht, und die Heizung mußte eingeschaltet gewesen sein, denn sie hätten nicht einen Moment gefroren.

»Wegen der Kunstwerke müssen wir Temperatur und Luftfeuchtigkeit konstant halten«, erklärte der am Boden zerstörte Museumsdirektor dem Inspektor und auch, daß die beiden Beschuldigten niemals wie behauptet in das Gebäude hätten gelangen können, da die Türen pünktlich um viertel nach fünf zufallen und das Museum durch ein elektronisches System zur uneinnehmbaren Festung wird.

»Wir konnten einfach hineingehen«, wiederholte Pedro nun schon zum hundertsten Mal.

»Und dann?« fragte Larramendi.

»Sind Sie auf Einzelheiten scharf, Herr Inspektor? Geliebt haben wir uns, und zwar die ganze Nacht, das war dann.«

»Wo und wann hast du Elena Etxebarría kennengelernt?«

»Elena?! So heißt sie also … wie die schöne Helena.«

Aitor Larramendi mußte zähneknirschend einsehen, daß sich die beiden Missetäter vor dem Vergehen nicht gekannt hatten und man ihnen weder Vorsatz noch Heimtücke unterstellen konnte.

An jenem denkwürdigen Samstag war Elena Etxebarría drauf und dran gewesen zu tun, was seit Sandkastentagen ausgemachte Sache schien, nämlich diesen guten Jungen zu heiraten, der jetzt in der kleinen Bäckerei seines Vaters arbeitete und es seinerzeit sogar zum Torwart in der Schulmannschaft des Colegio San Ignacio de Loyola gebracht hatte. Durch geschicktes Befragen des Jesuitenpaters, der die Trauung hatte vornehmen sollen, sowie weiterer Augenzeugen, fand der Inspektor jedoch heraus, daß sich Elena Etxebarría und der Fußballer das Jawort niemals gaben. Man erzählte ihm, die Braut sei, nur mühsam vom starken Arm ihres älteren Bruders auf den Beinen gehalten, mit einer Stunde Verspätung in die Kirche gestolpert und habe dabei geschluchzt wie eine Witwe. Wegen ihres Weinens habe man den Hochzeitsmarsch der Orgel kaum hören können. Ein weiteres Indiz sprach für den gestörten Gemütszustand der Braut, denn vor dem Altar zog sie die Schuhe aus und kickte sie mit zwei Fußtritten von sich, und als hätte es noch eines letzten Beweises dafür bedurft, daß sie nicht bei Trost war, drehte sie sich um und stürzte unter den verdatterten Blicken des Fußballers, des Priesters und des Rests der Hochzeitsgesellschaft aus der Kirche. Die Zurückgelassenen hörten erst am nächsten Tag wieder etwas von ihr, als ihr Photo unter der Schlagzeile »Mysteriöses Liebespaar im Guggenheimmuseum« im *Correo Español* erschien.

»Du hast meine Frage nicht beantwortet: Wo habt ihr euch kennengelernt?« Der Inspektor blieb beharrlich.

»An der Theke von Iñigos Bar. Sie ist mir sofort aufgefallen«, gab Pedro Berastegui zu Protokoll.

»Warum?«

»Warum was?«

»Warum sie dir gleich aufgefallen ist natürlich.«

»Naja, man sieht doch nicht alle Tage verheulte Frauen in Brautkleidern, die sich wie die Kosaken in einer Bar vollaufen lassen.«

»Und was hast du gemacht?«

»Ich habe sie angesprochen.«

»Und weiter?«

»Sie hat mich angesehen, da war ich schlagartig in sie verliebt. Ehrlich, das können Sie mir glauben. Ihre Schminke war völlig zerlaufen, sie hat ausgesehen wie ein Clown, aber dieser Blick aus den grünen Katzenaugen, der ist mir durch und durch gegangen. Ich kann Ihnen sagen, Herr Inspektor, so etwas ist mir noch nie passiert. Es war wie ein wahnsinniger Stromschlag, als hätte ich in die Steckdose gegriffen.«

»Und sie?«

»Sie hat ihren Kopf an meine Brust gelehnt und weitergeflennt wie ein kleines Kind. Ich wußte nicht, was ich machen soll. Nach einer Weile bin ich mit ihr zum Klo gegangen und habe ihr das Gesicht abgewischt. Ich habe sie gefragt, warum sie so weint, und sie hat gesagt, weil ihr Verlobter ein unverbesserlicher Schafskopf ist. Da habe ich ihr angeboten, sie dort auf der Stelle zu heiraten.«

»Klar, ihr wart betrunken.«

»Sie war ein bißchen beschwipst, aber ich trinke nicht. Bin sozusagen abstinent. Ich hatte was geraucht, aber Alkohol keinen Tropfen. In der Bar war ich bloß, weil Iñigo mir Geld schuldet; wir hatten gewettet wegen der Sache mit dem Heiligen Vater.«

»Und was hat sie geantwortet?«

»Sie hat gesagt, in Ordnung, sie würde mich heiraten, wo sie doch das Kleid schon hat. Dann hat sie mich voll auf den Mund geküßt.«

»Und du?«

»Ich habe zurückgeküßt. Was hätten Sie denn an meiner Stelle getan? Ein richtiger Verzweiflungskuß war das, wir konnten gar nicht mehr aufhören. Es war Liebe auf den ersten Blick, wie im Kino.«

»Und dann?«

»Dann ist diese Nervensäge von Iñigo dazwischengegangen und hat uns hinausgeworfen, er hat gesagt, wir sollten uns ein Motel suchen, das wäre ja nicht jugendfrei, was wir da machten. Alles nur, weil er mir die Wette nicht bezahlen wollte.«

»Und weiter?«

»Wir sind gegangen. Haben nicht gewußt, wohin, haben irgendeine Kneipe gesucht, weil wir uns gerne einmal hingesetzt hätten, und ein belegtes Brötchen wäre auch nicht verkehrt gewesen, aber wir haben nichts gefunden. Es hat die ganze Zeit genieselt, und wir hatten keinen Schirm; ich habe ihr meine Jacke umgelegt, aber das Kleid hat trotzdem ziemlich gelitten. Ich wollte sie mit zu mir nehmen, dann ist mir aber eingefallen, daß meine Mutter mit sämtlichen Onkeln und Tanten vor dem Fernseher sitzt, wegen dem Papstskandal, Sie haben doch davon gehört, oder?«

»Ja, Himmel nochmal, ich habe davon gehört.«

»Dann steht da plötzlich das Museum vor mir, wie aus dem Hut gezaubert. Eine Wucht!«

Und Pedro Berastegui verstummte, ganz versunken in die Erinnerung an seine rauschende Nacht.

»Weiter, verdammt!« verlangte der Inspektor.

»Ich habe gedacht, wir können uns dort unterstellen, und wir sind über diesen langgestreckten Platz gerannt, dort vor dem Eingang, den kennen Sie doch, oder?«

»Und niemand hat euch aufgehalten? Wo waren die Museumswärter?«

»Da war niemand, wirklich überhaupt niemand, Herr Inspektor.«

»Und?«

»Das habe ich Ihnen doch schon erzählt, wir haben die Tür kaum angefaßt, da ist sie schon aufgegangen, als wollte sie uns einladen. Sie hat mich wieder geküßt und gesagt, sie will wie eine richtige Braut über die Schwelle getragen werden. Ich hebe sie also hoch, verheddere mich aber in der Brautschleppe, und wir fallen beide halb tot vor Lachen hin. Als wir wieder aufstehen wollen, noch einmal das gleiche, deshalb sind wir dann auf allen vieren hineingekrochen, haben uns geküßt dabei und gelacht und uns überall gestreichelt. Jetzt weiß ich, was das heißt, daß einen die Liebe verrückt macht, Herr Inspektor. Ich habe noch nie …«

»Willst du mir weismachen, daß du sie nicht gefragt hast, wie sie heißt, und auch nicht, warum sie dieses Brautkleid trägt?« unterbrach ihn der Inspektor, der nach dreiundzwanzig sterbenslangweiligen Ehejahren nicht sonderlich erpicht war, etwas über Freuden zu hören, die er womöglich nie am eigenen Leib erfahren würde.

»Ich habe nicht daran gedacht, ehrlich, Herr Inspektor. Außerdem bin ich kein Mann der vielen Worte, ich komme gleich zur Sache, Sie verstehen.«

Larramendi ist auch einer von denen, die lieber gleich zur Sache kommen, aber für das weitere Verhör von Elena Etxebarría hatte er sich vorgenommen, eine gewisse Subtilität walten zu lassen, denn er wollte die junge Frau nicht erschrecken.

»Bist du eine Nutte?« fragte er sie.

Das Mädchen saß kerzengerade auf einem Krankenhausstuhl, trug einen schwachsinnigen Anstaltskittel, hatte ihr Haar zu einem langen Pferdeschwanz zusammengebunden und fing jetzt tief getroffen an zu weinen. Schniefend erklärte sie, sie sei bei den Nonnen zur Schule gegangen, habe sich ihre Jungfräulichkeit bis zu dieser Nacht im Museum bewahrt und denke nicht daran, sich von einem schnauzbärtigen und krummbeinigen Halbaffen ungestraft beleidigen zu lassen, was er sich einbilde, er werde schon sehen, was ihre drei Brüder machten, wenn sie davon Wind bekämen.

»Ist ja gut, mein Kind, beruhige dich. Das ist eine reine Routinefrage, nicht böse gemeint. Ich finde es nur ein bißchen sonderbar, daß Berastegui und du so mir nichts, dir nichts getan habt, was ihr getan habt, wo ihr doch nichts voneinander wußtet, nicht einmal den Namen, rein gar nichts …«

»Es war, als würden wir uns ewig kennen, Herr Inspektor, als wären wir uns in einem früheren Leben schon einmal begegnet. Glauben Sie an Wiedergeburt?«

»Nein. Ich bin Christ.«

»Ich ja auch, aber wenn Sie genauer darüber nachdenken, schließt das eine das andere doch nicht aus. Als die Schwelle des Museums hinter uns lag, war es mit einemmal, als wären wir vor Gott und dem Standesamt vermählt«, sagte Elena feierlich und erklärte weiter, daß sie mit ihrem Freund, dem früheren, dem Fußballer, so etwas nie empfunden habe.

»Können Sie sich das vorstellen, Herr Inspektor? Das ist doch Schicksal. Einmal angenommen, ich wäre nicht aus der Kirche gerannt und nicht in diese Bar gegangen, dann hätte ich vielleicht nie erfahren, was wahre Liebe ist.«

»Das hat mit Liebe nichts zu tun, das ist Wollust, gepaart mit Delirium tremens, weiter nichts. Wie soll das denn gehen, die ganze Nacht in dem Museum herumspringen, ohne daß die Videokameras etwas aufzeichnen?«

»Vielleicht waren wir durchsichtig …«

»Jetzt werd bloß nicht witzig!«

»Aber, Herr Inspektor, wissen Sie denn nicht, daß das Guggenheimmuseum verzaubert ist?«

»Was redest du da? Es ist das modernste Museum der Welt!« fiel ihr Inspektor Aitor Larramendi ins Wort, obwohl er genau wußte, worauf die junge Frau mit den grünen Augen anspielte. Der Bau hatte kaum begonnen, da waren die Gerüchte schon ins Kraut geschossen: Es hieß, etwas von solcher Schönheit zu schaffen sei menschenunmöglich, und folglich müsse es einen Pakt mit dem Überirdischen geben.

»Das Gebäude strotzt nur so von Alarmanlagen. Ich begreife nicht, wieso keine einzige funktioniert hat.«

»Sind Sie denn sicher, daß wir im Museum waren?«

»Willst du mich auf den Arm nehmen?«

»Ich meine, mal im Ernst, Herr Inspektor. Wenn, wie Sie sagen, das Gebäude geschlossen war und wenn kein Alarm ausgelöst wurde, dann waren wir vielleicht überhaupt nicht dort. Ehrlich gesagt, wo wir uns geliebt haben, das hat auch nicht ausgesehen wie ein Museum, mir ist es eher vorgekommen wie ein Glaspalast, wie eine dieser Zitadellenstädte auf anderen Planeten, die man manchmal in Filmen sieht.«

»Wieso?« Auch diese Frage stellte Larramendi aus reiner Routine, denn im Grunde war er die ganze Angelegenheit mittlerweile leid.

»Vor den Fenstern sind Diamanten herabgefallen, wir haben melodisches Geplätscher gehört wie von einem Wasserfall …«

»Regen, Kindchen, es hat geregnet.«

»Und es hat geduftet nach reifen Pflaumen.«

»Bestimmt nach den Rosen von deinem Brautstrauß.«

»Nein. Nach Pflaumen. Kennen Sie diesen Geruch von Pflaumen im Sommer, Herr Inspektor? Es ist ein so schwerer Duft, das Wasser läuft einem im Mund zusammen.«

»Also schön, es hat nach Pflaumen gerochen.«

»Sie behaupten, wir waren im Guggenheimmuseum, aber ich sage Ihnen, wir waren an einem phantastischen Ort, da waren keine Wände, nur weite Räume aus Licht.«

»Die Mauern sind aus Beton, Elena.«

»Glauben Sie mir, es waren erdachte Säle, ganz zart, wie hingetupft. Wir haben nicht nur Wasser plätschern gehört, ich bin mir sicher, die Luft hat gebebt, da war so ein Murmeln wie dieser Strom von Wörtern, die man, ohne nachzudenken, sagt, während man sich liebt. Sie wissen doch, was ich meine, oder?«

»Nein.«

»Schade. Jedenfalls sind wir dann geflogen.«

»Wie, geflogen?«

»Waren Sie denn nie verliebt, Herr Inspektor?«

»Ich stelle hier die Fragen, ist das klar?«

»Wir sind Hand in Hand geflogen, eine leichte Brise hat uns getragen, hat die Schleier an meinem Kleid gebauscht.«

»In dem Gebäude gibt es keine Brise. Wahrscheinlich war es die Heizung.«

»Sicher, Herr Inspektor. Pedro, er heißt doch so, oder? Also Pedro hat die Hose ausgezogen, das Hemd, die Unterhose, und auch seine Kleider sind herumgeflogen wie Luftballons.«

»Unzucht an einem Ort mit Publikumsverkehr«, faßte der Inspektor mit Nachdruck zusammen.

»Da war kein Publikumsverkehr. Pedro wollte mir das Kleid ausziehen, hat es aber nicht aufbekommen. Diese Knöpfe sind eine Zumutung, wissen Sie.«

»Du willst mir also erzählen, daß ihr weiter dort herumgeschwirrt seid wie die Fliegen?«

»Genau so. Wir waren in allen Sälen, haben alle Bilder besucht und die Farben getrunken und im Labyrinth gespielt und mit den Skulpturen getanzt, und danach sind wir gelandet.«

»Wo genau?« fragte Aitor Larramendi.

»Woher soll ich das wissen?«

Die Bulldogge von Bilbao schnaufte: Dieses Mädchen hatte weniger Hirn als ein Brathuhn. Er kehrte auf die Wache zurück, wo Pedro Berastegui, noch immer in Handschellen, Kaffee trank und sich mit zwei Beamten über den Papstskandal unterhielt. Larramendi war kein Anhänger der Verbrüderung mit den Inhaftierten, denn das untergrub die Autorität und war gegen die Vorschriften. Nachdem er dem jungen Mann den Pappbecher aus der Hand gerissen hatte, führte er ihn am Schlafittchen in das grüngestrichene Verhörzimmer.

»Du hast sie also nicht gefragt, wie sie heißt«, setzte er das Verhör fort, wo er es Stunden zuvor unterbrochen hatte.

»Wir hatten keine Zeit für lange Gespräche, wir waren ziemlich beschäftigt.

»Es miteinander zu machen wie die Hunde«, fiel ihm der Inspektor ins Wort.

»Wie die Engel, würde ich sagen.«

»Wie zwei Übergeschnappte, noch dazu splitterfasernackt.«

»Ich schon, das gebe ich zu, aber sie hatte das Kleid an, und außerdem war ihr Haar offen und hat sie ganz eingehüllt. Haben Sie gesehen, was für schönes Haar sie hat? Reinste Seide, wie Puppenhaar.«

»Spar dir die blumigen Vergleiche, Berastegui. Wie hast du die Alarmanlage ausgeschaltet und die Videoüberwachung?«

»Ich habe nichts angerührt. In diesem Museum gehen seltsame Dinge vor. Mein Onkel, der mit dem steifen Bein, ein Bruder von meiner Mutter, der mußte einmal Karfreitagabend hin, um den Fahrstuhl zu reparieren, und er sagt, er hat mit eigenen Augen gesehen, wie sich eine der Skulpturen bewegt hat.«

»Welche?«

»Eine von diesen gekrümmten mit Darmverschlingung.«

»Und dein Onkel, wie heißt der?«

»Legen Sie sich nicht mit meiner Familie an, Herr Inspektor«, sagte Pedro Berastegui entschlossen.

Der junge Mann bestätigte Elena Etxebarrías Aussage Punkt für Punkt. Obwohl Aitor Larramendi dafür berüchtigt war, durch seine Gerissenheit Verdächtige bei fatalen Widersprüchen zu ertappen, mußte er schließlich einsehen, daß es keine Beweise gab, um die beiden für einige Monate hinter Gitter zu bringen, wie sie es zweifellos verdient hätten. Aber die Niederlage verdarb ihm nicht die Laune, ganz im Gegenteil, er konnte nur mit Mühe die Leichtigkeit seiner Schritte und den Anflug eines Lächelns unter Kontrolle halten, die mit aller Macht seine wahre Gemütslage offenbaren wollten. Zum ersten Mal schlug

sein eingerostetes Polizistenherz höher, weil ein Delikt unge-
sühnt blieb. Letztlich, dachte er, war es doch auch nur ein Vergehen aus Liebe gewesen. Wie Pedro Berasteguis Onkel mit
dem steifen Bein glaubten viele, daß die Skulpturen im Museum nachts Conga tanzten, die Gestalten ihre Gemälde verließen, um durch die Säle zu schlendern, und sich das Gebäude
mit ausgelassenen Gespenstern füllte. Scharfsinnig mutmaßte
der Inspektor unter anderem, die beiden Liebenden könnten
genau in dem Moment ins Guggenheimmuseum hineingegangen sein, als das Gebäude in die Dimension der Träume hin-
überglitt, und könnten so, ohne es zu wollen, in eine Zeit
gestürzt sein, die von keiner Uhr angezeigt wird. Es würde
schwierig sein, seinen Vorgesetzten diese Theorie begreiflich
zu machen, dachte der Inspektor, während er seine Zigaretten-
kippe austrat, aber mit ein bißchen Glück bräuchte er das gar
nicht. Es war Wahlkampf, es gab Probleme mit den Terroristen
und einen Streik im Gesundheitswesen, da konnte man seine
Zeit nicht mit übersinnlichen Liebenden verplempern. Das
Guggenheimmuseum war doch bloß ein Museum, und wen
kümmerte schon die Kunst? Wenn die beiden die Sicherheits-
systeme der Bank von Bilbao ausgehebelt hätten, ja, das wäre
etwas anderes gewesen.
Wenige Tage später klappte Aitor Larramendi die Fallakte zu
und verstaute sie ganz unten in dem Schrank mit den auf unbe-
stimmte Zeit verschobenen Angelegenheiten, wo sie in den be-
dächtig mahlenden Mühlen der Bürokratie schließlich zu
Staub zerfallen würde. Die Presse, die noch immer mit dem
Skandal im Vatikan beschäftigt war, hatte die mysteriösen Liebenden im Guggenheimmuseum bald vergessen. Nur der Museumsdirektor litt noch an den Folgen, konnte seine Furcht
nicht loswerden, obwohl er die Wächter austauschte, ein neues
Sicherheitssystem installieren ließ und eine berühmte hollän-

dische Parapsychologin damit beauftragte, dem Museum die Geister auszutreiben. Was die beiden Hauptpersonen jenes Aufruhrs der Liebe betrifft, bleibt lediglich zu sagen, daß Elena Etxebarría, als sie das Brautkleid aus der Reinigung holte, von Pedro Berastegui an der Straßenecke mit einem frischen Strauß Rosen erwartet wurde.

Wolfgang Koeppen
Die jüdische Hochzeit

Meine Mutter sagte zu mir, wir sind zu einer jüdischen Hochzeit eingeladen. Wir fahren nach Warschau. Es wird ein prächtiges Fest sein. Es sind berühmte Leute. Ich konnte mich nicht gleich erinnern, ob wir mit einem Schiff, mit der Bahn oder mit Pferden gefahren waren. Warschau fand ich prächtig. Große königliche Plätze, das Hochzeitshaus ein Palast. Nur Leute in Seide und Pelz. Musik, hundert Pianisten, jeder vor seinem Flügel. Ich war fünf Jahre alt.

Das ist nun überhaupt nicht wahr. Die Hochzeit fand in Thorn statt. Dort wohnten wir, meine Mutter und ich. Mir gefiel der Strom, das Rathaus, das Kopernikusdenkmal, reitende Ulanen, Luftschiffer am Himmel, keine Flugzeuge. Der Halleysche Komet.

Die jüdische Hochzeit fand im großen Modehaus am Markt statt. Das Geschäft war an diesem Tag geschlossen. Es heiratete der Sohn des Chefs. Er trug die Uniform eines einjährig Freiwilligen. Sein Vater war Hauptmann der Reserve. Auch er natürlich in Uniform. Wenn der Vater mit dem Sohn sprach, nahm der Sohn Haltung an. Es waren viele Militärs, Kameraden auf der Hochzeit. Man tanzte auch, aber ich fand es langweilig. Einen Rabbiner erkannte ich nicht, aber ich fragte auch nicht nach einem Rabbiner.

Ich saß am Kindertisch. Es saßen mit mir dort drei Jungen in neuen Anzügen und ein kleines Mädchen, so alt wie ich. Es wurde eine Speise serviert, und ich roch sie. Ich stieß den Teller zurück und schrie: »Ich esse keine Zwiebel. Ich hasse Zwiebeln.« Die artige Kinderrunde am Tisch erstarrte. Der älteste Junge, ein Brillenträger, wies die Serviererin an: »Nehmen Sie den Teller weg, er ißt nichts Koscheres, er ekelt sich.« Ich brüllte, ich esse keine Zwiebeln, ich hasse sie.

Ich stand vom Tisch auf und suchte meine Mutter. Sie nahm meine Hand, und wir verabschiedeten uns beim Brautpaar und den Eltern. Als wir zur Haustür kamen, lief das kleine Mädchen vom Kindertisch auf mich zu und küßte mich. Sie sagte, besuch mich bald. Ich war entschlossen, sie zu heiraten.

Kurt Tucholsky
Erste Liebe

Die erste Liebe: eine Javanerin – seitdem liest er noch heute die javanischen Zuckerkurse.

Glückliche Umstände, leihweise

Julio Cortázar
Morsezeichen

Der Paukenschläger Alcides Radaelli nutzte die sinfonischen Dichtungen von Richard Strauss, um seiner Verlobten, Abonnentin eines Logenplatzes (links, Reihe 8) im Lunapark Mitteilungen in Morsezeichen zukommen zu lassen.

Ein Funker des Heeres, der bei dem Konzert zugegen war, weil der Boxkampf im Lunapark wegen eines Trauerfalles in der Familie eines der Kämpfer ausgefallen war, dechiffrierte zu seiner Verblüffung den folgenden Satz, der mitten in *Also sprach Zarathustra* erklang: »Hast du dich von deinem Nesselfieber erholt, Mausi?«

Alexander Kluge

Blechernes Glück

Eine junge Frau stürzte sich von einer der Terrassen des Doms von Mailand. Sie war entschlossen, ihrem Leben ein Ende zu setzen. Mit einem Schrei des Entsetzens fiel sie, sie hatte die Stärke ihres Entschlusses überschätzt.

Durch Fügung fiel sie auf die Blechkarosse eines Kraftfahrzeugs. Später erzählte sie, sie habe befürchtet, als Leiche auf dem Pflaster des Domplatzes unschön auszusehen. Tatsächlich sah sie, von viel Blech umhüllt, aber auch im Fall gebremst, auf groteske Weise beschädigt aus.

In der Klinik wurden alle Lebensfunktionen des geschundenen Körpers (den der Geist zu einem Versuch der Selbsttötung getrieben und den die Geister des Doms zu schützen gewußt hatten) als intakt diagnostiziert. Wilma Bison hatte sich im Alter von 35 Jahren aus Odessa in den Westen durchgeschlagen, ihr Glück versucht, nach ihren Eindrücken Unglück geerntet und so den gräßlichen Entschluß gefaßt, der zu einem glücklichen Ende führte. Ihre Rettung, die in den Boulevardblättern verbreitet wurde, führte zur Verbindung mit einem Mann aus Lugano, der sie künftig schützte.

Thomas Rosenlöcher

Der Ernst des Lebens

Es waren einmal ein Mann und eine Frau, die liebten einander
so sehr, daß sie auf der Stelle heirateten.

Die Hochzeit ging so vor sich, daß sie einen Kirschbaum bestiegen. Der Kirschbaum war in voller Blüte, so daß sie sofort unter Blüten verschwanden und keiner mehr sagen konnte, was
sie da oben eigentlich trieben. Nur so viel, daß der Kirschbaum
mehrmals kichernd auf und nieder wankte.

Dann begann der Ernst des Lebens.

Der Ernst des Lebens war eine Wohnung im dritten Stock.

Die Wohnung war ein wenig klein, so daß sie noch froh sein
konnten, wenn sie genügend Platz darin fanden.

»Hauptsache, wir haben uns«, sagten sie.

»Mehr brauchen wir nicht.«

»Höchstens noch ein Ehebett.«

»Wieso.«

»Soll ich mein Leben lang auf dem Fußboden schlafen?«

»Dann aber gleich ein Himmelbett.« –

Durch das Himmelbett war schon etwas weniger Platz in der
Wohnung. Dafür aber nun um so mehr Platz im Himmelbett.

»Das soll der Ernst des Lebens sein?« sprachen sie zueinander
und fingen an, noch einmal Hochzeit zu feiern.

Die Hochzeit ging so vor sich, daß ein Stockwerk tiefer die
Lampen auf und nieder wankten und das Aquarium über-
schwappte.

»Hör dir das an«, sagte ein Stockwerk tiefer die Frau.

»Das gibt sich in der Ehe«, entgegnete ihr Mann und sammelte
die Fische ein, die auf dem Teppich lagen.

»Mehr brauchen wir nicht«, sprachen die Frischvermählten in ihrem Himmelbett.

»Höchstens noch ein Spülklosett.«

»Wozu.«

»Soll ich mein Leben lang aus dem Fenster pinkeln?«

Auch das Spülklosett fand in der Wohnung noch Platz.

»Das soll der Ernst des Lebens sein?« sprachen sie zueinander und gingen zumeist gleich gemeinsam aufs Klo. Und während der eine tat, was er mußte, durfte der andere die Spülung bedienen. –

Himmelbett und Spülklosett.

»Mehr brauchen wir nicht«, sagten sie.

»Höchstens noch eine Badewanne.«

»Wozu.«

»Soll ich mir mein Leben lang die Füße in der Schlotte waschen?«

Durch die Badewanne war kaum noch Platz in der Wohnung. Dafür aber hatten sie nun um so mehr Platz in der Wanne.

»Das soll der Ernst des Lebens sein?« sprachen sie zueinander und fingen noch einmal an, Hochzeit zu feiern.

Das ging so vor sich, daß ein Stockwerk tiefer das Wasser durch die Decke tropfte.

»Es geht schon wieder los da oben«, sagte die Frau in der Wohnung darunter. »Das ist noch Liebe, mein Lieber!«

»Die gibt sich in der Ehe«, entgegnete ihr Mann. Und leitete das Wasser aus der Lampenschale in sein Aquarium um. –

Himmelbett, Spülklosett, Badewanne.

»Mehr brauchen wir nicht«, riefen die Frischvermählten.

»Hunger«, sagte der Mann.

»Wie bitte?« fragte die Frau.

»Einen Hunger habe ich.«

»Das kommt vom vielen Heiraten.«

»Kannst Du mir keinen Truthahn braten?«

»Nein«, sagte die Frau.

»Was? Du kannst keinen Truthahn braten!«

»Nein«, sagte die Frau.

»Und wieso kannst du keinen Truthahn braten?«

»Ohne Herd und Pfanne?« –

Auch Herd und Pfanne mußten irgendwie noch untergebracht werden. Dafür aber lernte der Mann nun an Hand des Truthahnbratens die Ehe auch noch von anderer Seite schätzen.

»Und was machen wir jetzt?«

»Wir setzen unsre Ehe fort«, erwiderte der Mann. Anschließend gähnte er. Auch die Frau gähnte ein wenig.

Himmelbett, Spülklosett, Badewanne, Herd und Pfanne.

»Mehr brauchen wir nicht«, sagten sie.

»Höchstens noch Kultur im Heim.«

»Wozu.«

»Nur durch Kultur im Heim hält sich eine Ehe auf Dauer«, behauptete die Frau. Dann ging sie außer Haus und kehrte mit einer Kuckucksuhr wieder. Und Mann und Frau saßen da und horchten, was der Kuckuck sagte. –

Himmelbett, Spülklosett, Badewanne, Herd und Pfanne, Kuckucksuhr.

»Mehr brauchen wir nicht«, sagten sie.

»Höchstens noch etwas Geistiges.«

»Wozu.«

»Für den Kopf«, sagte der Mann.

Dann ging er außer Haus und kehrte mit einem Whisky pur wieder. Den er fortan immer trank, wenn der Kuckuck Kuckuck rief. –

Himmelbett, Spülklosett, Badewanne, Herd und Pfanne, Kuckucksuhr, Whisky pur.

»Das brauche ich«, sagte er.

»Ich nicht«, sagte die Frau. Dann ging sie außer Haus und kehrte mit drei Männern wieder. Die drei Männer schleppten eine Vitrine mit Löwenfüßen herein.

»Brauchen wir die?« rief der Mann.

»Aber ja«, rief die Frau. »So preiswert bekommen wir nie wieder ein derartig wertvolles Stück.«

»Ach so«, sagte der Mann.

»Wohin?« riefen die Männer und stellten die Vitrine auf dem Fuß des Mannes ab, so daß er große Mühe hatte, der Neuanschaffung Platz zu machen. –

Himmelbett, Spülklosett, Badewanne, Herd und Pfanne, Kukkucksuhr, Whisky pur, Protzvitrine.

»Das brauche ich«, sagte die Frau.

»Ich nicht«, sagte der Mann. Dann hinkte er außer Haus und kehrte mit einer Glotzmaschine wieder. –

»Du horchst ja immer noch«, sagte ein Stockwerk tiefer der Mann. »Sag bloß, Du hörst noch was!«

»Nein«, sagte die Frau. »Nur noch das Übliche.«

»Siehst Du«, sagte der Mann. »Das habe ich dir gleich gesagt: In der Ehe gibt sich alles.«

Dann ahmte er die Mundbewegungen der Fische im Aquarium nach. –

Himmelbett, Spülklosett, Badewanne, Herd und Pfanne, Kukkucksuhr, Whisky pur, Protzvitrine, Glotzmaschine.

Das war der Ernst des Lebens.

Das Ernste am Ernst des Lebens war, daß man gar nicht merkte, wie ernst das Leben war. Denn obwohl die Wohnung recht klein war, ging immer noch mehr hinein: *Polsterbank, Wäscheschrank, Teppichkehrer, Rauchverzehrer.* – Je mehr jedoch in die Wohnung hineingehen mußte, desto seltener sahen sie sich. Und je seltener sie sich sahen, desto mehr brauchten sie, das in die Wohnung hineingehen mußte: *Rundumleuchter,*

Raumbefeuchter, Blumenständer, Freudenspender. – So konnte es geschehen, daß eines Tages die Frau, während sie soeben den Freudenspender putzte, auf einmal ihren Mann nicht mehr fand. Nicht einmal vor der Glotzmaschine, ja, selbst nicht hinterm Whisky pur, wohin er sich sonst immer zurückzuziehen pflegte.

Da nahm sie alles, was sie hatten, und schlug es kurz und klein:

Freudenspender, Blumenständer, Raumbefeuchter, Rundumleuchter, Rauchverzehrer, Teppichkehrer, Wäscheschrank, Polsterbank, Glotzmaschine, Protzvitrine, Whisky pur, Kuckucksuhr, Herd und Pfanne, Badewanne, Spülklosett, Himmelbett.

»Das brauchen wir nicht!« rief sie.

Unter dem Himmelbett lag ihr Mann.

»Bist Du es?« fragten sie einander.

Dann heirateten sie noch einmal von vorn.

Die Hochzeit ging so vor sich, daß sie einen Kirschbaum bestiegen. Der Kirschbaum war in voller Blüte, so daß sie sofort unter Blüten verschwanden und keiner mehr sagen konnte, was sie da oben eigentlich trieben. Nur so viel, daß der Kirschbaum mehrmals kichernd auf und nieder wankte. –

Ich selbst habe darunter gestanden und war ganz von Blüten beschneit.

Kurt Tucholsky

Ein Ehepaar erzählt
einen Witz

»Herr Panter, wir haben gestern einen so reizenden Witz gehört, den *müssen* wir Ihnen ... also den *muß* ich Ihnen erzählen. Mein Mann kannte ihn schon ... aber er ist zu reizend.
Also passen Sie auf.
Ein Mann, Walter, streu nicht den Tabak auf den Teppich, da!
Streust ja den ganzen Tabak auf den Teppich, also ein Mann,
nein, ein Wanderer verirrt sich im Gebirge. Also der geht im
Gebirge und verirrt sich, in den Alpen. Was? In den Dolomiten, also nicht in den Alpen, ist ja ganz egal. Also er geht
da durch die Nacht, und da sieht er ein Licht, und er geht grade
auf das Licht zu ... laß mich doch erzählen! das gehört dazu! ... geht drauf zu, und da ist eine Hütte, da wohnen zwei
Bauersleute drin. Ein Bauer und eine Bauersfrau. Der Bauer
ist alt, und sie ist jung und hübsch, ja, sie ist jung. Die liegen
schon im Bett. Nein, die liegen noch nicht im Bett ...«
»Meine Frau kann keine Witze erzählen. Laß mich mal. Du
kannst nachher sagen, obs richtig war. Also nun werde ich Ihnen das mal erzählen.
Also, ein Mann wandert durch die Dolomiten und verirrt sich.
Da kommt er – du machst einen ganz verwirrt, so ist der Witz
gar nicht! Der Witz ist ganz anders. In den Dolomiten, so ist
das! In den Dolomiten wohnt ein alter Bauer mit seiner jungen
Frau. Und die haben gar nichts mehr zu essen; bis zum nächsten Markttag haben sie bloß noch eine Konservenbüchse mit
Rindfleisch. Und die sparen sie sich auf. Und da kommt ...
wieso? Das ist ganz richtig! Sei mal still ..., da kommt in der
Nacht ein Wandersmann, also da klopft es an die Tür, da steht

ein Mann, der hat sich verirrt, und der bittet um Nachtquartier. Nun haben die aber gar kein Quartier, das heißt, sie haben nur ein Bett, da schlafen sie zu zweit drin. Wie? Trude, das ist doch Unsinn … Das kann sehr nett sein!«

»Na, ich könnte das nicht. Immer da einen, der – im Schlaf strampelt …, also ich könnte das nicht!«

»Sollst du ja auch gar nicht. Unterbrich mich nicht immer.«

»Du sagst doch, das wär nett. Ich finde das nicht nett.«

»Also …«

»Walter! Die Asche! Kannst du denn nicht den Aschbecher nehmen?«

»Also … der Wanderer steht da nun in der Hütte, er trieft vor Regen, und er möchte doch da schlafen. Und da sagt ihm der Bauer, er kann ja in dem Bett schlafen, mit der Frau.«

»Nein, so war das nicht. Walter, du erzählst es ganz falsch! Dazwischen, zwischen ihm und der Frau – also der Wanderer in der Mitte!«

»Meinetwegen in der Mitte. Das ist doch ganz egal.«

»Das ist gar nicht egal … der ganze Witz beruht ja darauf.«

»Der Witz beruht doch nicht darauf, wo der Mann schläft!«

»Natürlich beruht er darauf! Wie soll denn Herr Panter den Witz so verstehen … laß mich mal – ich werd ihn mal erzählen! – Also der Mann schläft, verstehen Sie, zwischen dem alten Bauer und seiner Frau. Und draußen gewittert es. Laß mich doch mal!«

»Sie erzählt ihn ganz falsch. Es gewittert erst gar nicht, sondern die schlafen friedlich ein. Plötzlich wacht der Bauer auf und sagt zu seiner Frau – Trude, geh mal ans Telefon, es klingelt. – Nein, also das sagt er natürlich nicht … Der Bauer sagt zu seiner Frau … Wer ist da? Wer ist am Telefon? Sag ihm, er soll später noch mal anrufen – jetzt haben wir keine Zeit! Ja. Nein. Ja. Häng ab! Häng doch ab!«

»Hat er Ihnen den Witz schon zu Ende erzählt? Nein, noch nicht? Na, erzähl doch!«

»Da sagt der Bauer: Ich muß mal raus, nach den Ziegen sehn – mir ist so, als hätten die sich losgemacht, und dann haben wir morgen keine Milch! Ich will mal sehn, ob die Stalltür auch gut zugeschlossen ist.«

»Walter, entschuldige, wenn ich unterbreche, aber Paul sagt, nachher kann er nicht anrufen, er ruft erst abends an.«

»Gut, abends. Also der Bauer – nehmen Sie doch noch ein bißchen Kaffee! – Also der Bauer geht raus, und kaum ist er rausgegangen, da stupst die junge Frau …«

»Ganz falsch. Total falsch. Doch nicht das erstemal! Er geht raus, aber sie stupst erst beim drittenmal – der Bauer geht nämlich dreimal raus – das fand ich so furchtbar komisch! Laß mich mal! Also der Bauer geht raus, nach der Ziege sehn, und die Ziege ist da; und er kommt wieder rein.«

»Falsch. Er bleibt ganz lange draußen. Inzwischen sagt die junge Frau zu dem Wanderer –«

»Gar nichts sagt sie. Der Bauer kommt rein …«

»Erst kommt er nicht rein!«

»Also … der Bauer kommt rein, und wie er eine Weile schläft, da fährt er plötzlich aus dem Schlaf hoch und sagt: Ich muß doch noch mal nach der Ziege sehen – und geht wieder raus.«

»Du hast ja ganz vergessen, zu erzählen, dass der Wanderer furchtbaren Hunger hat!«

»Ja. Der Wanderer hat vorher beim Abendbrot gesagt, er hat so furchtbaren Hunger, und da haben die gesagt, ein bißchen Käse wäre noch da …«

»Und Milch!«

»Und Milch, und es wär auch noch etwas Fleischkonserve da, aber die könnten sie ihm nicht geben, weil die eben bis zum nächsten Markttag reichen muß. Und dann sind sie zu Bett gegangen.«

»Und wie nun der Bauer draußen ist, da stupst sie den, also da stupst die Frau den Wanderer in die Seite und sagt: Na …«

»Keine Spur! Aber keine Spur! Walter, das ist doch falsch! Sie sagt doch nicht: Na …!«

»Natürlich sagt sie: Na …! Was soll sie denn sagen?«

»Sie sagt: Jetzt wäre so eine Gelegenheit …«

»Sie sagt im Gegenteil: Na … und stupst den Wandersmann in die Seite …«

»Du verdirbst aber wirklich jeden Witz, Walter!«

»Das ist großartig! Ich verderbe jeden Witz? *Du* verdirbst jeden Witz – ich verderbe doch nicht jeden Witz! Da sagt die Frau …«

»Jetzt laß *mich* mal den Witz erzählen! Du verkorkst ja die Pointe …!«

»Also jetzt mach mich nicht böse, Trude! Wenn ich einen Witz anfange, will ich ihn auch zu Ende erzählen …«

»Du hast ihn ja gar nicht angefangen … *ich* habe ihn angefangen!« – »Das ist ganz egal – jedenfalls will ich die Geschichte zu Ende erzählen; denn du kannst keine Geschichten erzählen, wenigstens nicht richtig!« – »Und ich erzähle eben meine Geschichten nach meiner Art und nicht nach deiner, und wenn es dir nicht paßt, dann mußt du eben nicht zuhören …!« – »Ich will auch gar nicht zuhören … ich will sie zu Ende erzählen – und zwar so, dass Herr Panter einen Genuß von der Geschichte hat!« – »Wenn du vielleicht glaubst, dass es ein Genuß ist, dir zuzuhören …« – »Trude!« – »Nun sagen Sie, Herr Panter – ist das auszuhalten! Und so nervös ist er schon die ganze Woche … ich habe …« – »Du bist …« – »Deine Unbeherrschtheit …« – »Gleich wird sie sagen: Komplexe! Deine Mutter nennt das einfach schlechte Erziehung …« – »Meine Kinderstube …!« –

»Wer hat denn die Sache beim Anwalt rückgängig gemacht? Wer denn? Ich vielleicht? Du! Du hast gebeten, dass die Scheidung nicht ...« – »Lüge!« – Bumm: Türgeknall rechts. Bumm: Türgeknall links.

Jetzt sitze ich da mit dem halben Witz.

Was hat der Mann zu der jungen Bauersfrau gesagt?

Italo Calvino
Das Pfeifen der Amseln

Herr Palomar hat das Glück, den Sommer an einem Ort zu verbringen, wo viele Vögel singen. Während er in einem Liegestuhl ruht und »arbeitet« (denn er hat auch das Glück, behaupten zu können, der Arbeit an Orten und in Haltungen nachzugehen, die man als solche der absolutesten Ruhe bezeichnen würde; oder besser gesagt, er hat das Pech, sich verpflichtet zu fühlen, die Arbeit nie ruhen zu lassen, auch nicht in einem Liegestuhl unter Bäumen an einem Vormittag im August), entfalten die im Gezweig verborgenen Vögel rings um ihn ein Repertoire der verschiedensten Lautbekundungen, hüllen ihn in einen ungleichmäßigen, diskontinuierlichen und zerklüfteten Klangraum, in dem sich jedoch ein Gleichgewicht zwischen den unterschiedlichen Tönen herstellt, da keiner die anderen durch höhere Intensität oder Schwingungszahl überragt und alle zusammen ein homogenes Gezwitscher bilden, das nicht durch Harmonie zusammengehalten wird, sondern durch Leichtigkeit und Transparenz. Bis dann in der heißesten Stunde das wilde Geschwirr der Insekten dem Flirren der Luft seine schrankenlose Vorherrschaft aufzwingt, indem es alle Dimensionen der Zeit und des Raumes mit dem unaufhörlichen, ohrenbetäubenden Preßlufthammergedröhn der Zikaden erfüllt.

Das Zwitschern der Vögel besetzt einen variablen Teil der auditiven Aufmerksamkeit des Herrn Palomar: Bald drängt er es in den Hintergrund als einen Bestandteil der dort herrschenden Stille, bald konzentriert er sich auf die Unterscheidung einzelner Stimmen und gruppiert sie in Kategorien mit wachsender Komplexität: einfaches Piepsen, Tschilpen, kurzes vibrierendes Pfeifen, Tirilieren mit einem kurzen und einem langen Ton, glucksendes Kollern, kaskadenartiges Flöten, langgezogenes in sich kreisendes Quinkelieren und Quirilieren, und so weiter bis zur klangvollen Koloratur.

Zu einer weniger allgemeinen Klassifizierung gelangt Herr Palomar nicht: Er ist keiner von denen, die bei jedem Gezwitscher immer gleich wissen, von welchem Vogel es stammt. Das tut ihm jetzt leid, er empfindet seine Unkenntnis wie eine Schuld. Das neue Wissen, das sich die Menschheit heute erwirbt, entschädigt nicht für das Wissen, das sich allein durch mündliche Weitergabe verbreitet und, wenn es einmal verloren ist, nicht mehr wiedergewonnen und weitergegeben werden kann: Kein Buch kann lehren, was man nur als Kind lernen kann, wenn man ein waches Ohr und ein waches Auge für den Gesang und den Flug der Vögel hat und wenn jemand da ist, der ihnen prompt einen Namen zu geben weiß. Dem Kult der nomenklatorischen und klassifizierenden Präzision hatte Herr Palomar stets die Verfolgung einer ungewissen Präzision im Definieren des Modulierten, Gemischten, sich Wandelnden vorgezogen – also des Undefinierbaren. Jetzt würde er die entgegengesetzte Wahl treffen, und während er den Gedanken nachsinnt, die der Gesang der Vögel in ihm geweckt hat, erscheint ihm sein Leben als eine Folge verpaßter Gelegenheiten.

Deutlich herauszuhören aus allen Vogelstimmen ist das Pfeifen der Amseln, unverkennbar. Die Amseln kommen am späten Nachmittag; es sind zwei, ein Pärchen sicher, vielleicht dasselbe wie voriges Jahr, wie alle Jahre um diese Zeit. Jeden Nachmittag, wenn er den ersten Lockruf hört, einen Pfiff auf zwei Tönen, wie von einem Menschen, der seine Ankunft signalisieren will, hebt Herr Palomar überrascht den Kopf, um zu sehen, wer ihn da ruft. Dann fällt ihm ein, daß es die Stunde der Amseln ist. Und bald entdeckt er sie auch: Sie spazieren über den

Rasen, als sei es ihre wahre Berufung, sich wie bodenverhaftete Zweifüßler zu bewegen und sich damit zu vergnügen, Analogien zum Menschen herzustellen.

Das Besondere am Pfeifen der Amseln ist, daß es genau wie ein menschliches Pfeifen klingt: wie das Pfeifen von jemandem, der nicht besonders gut pfeifen kann und es auch normalerweise nicht tut, aber manchmal hat er einen guten Grund zu pfeifen, einmal kurz und nur dieses eine Mal, ohne die Absicht weiterzupfeifen, und dann tut er es mit Entschiedenheit, aber in einem leisen und liebenswürdigen Ton, um sich das Wohlwollen seiner Zuhörer zu erhalten.

Nach einer Weile wiederholt sich das Pfeifen – derselben Amsel oder ihrer Gefährtin –, doch immer so, als käme es ihr zum ersten Mal in den Sinn zu pfeifen. Wenn es ein Dialog ist, dann einer, in welchem jede Replik erst nach reiflicher Überlegung erfolgt. Aber *ist* es ein Dialog, oder pfeift jede Amsel nur vor sich hin und nicht für die andere? Und handelt es sich, im einen Falle oder im anderen, um Fragen und Antworten (auf den Partner oder sich selbst) oder um Bestätigungen von etwas, das letzten Endes immer dasselbe ist (die eigene Anwesenheit, die Zugehörigkeit zur Gattung, zum Geschlecht oder zum Gebiet)? Vielleicht liegt der Wert dieses einzigen »Wortes« darin, daß es von einem anderen pfeifenden Schnabel wiederholt, daß es in den Pausen, während des Schweigens, nicht vergessen wird.

Oder der ganze Dialog besteht darin, dem anderen zu sagen: »Ich bin hier«, und die Länge der Pausen ergänzt das Gesagte um den Sinn eines »noch« oder »immer noch«, so daß es nun etwa bedeutet: »Ich bin immer noch hier, ich bin immer noch ich!« – Doch wenn die Bedeutung der Botschaft nun in der Pause läge und nicht im Pfeifen? Wenn es das Schweigen wäre, in dem die Amseln miteinander redeten? (Das Pfeifen wäre dann nur eine Interpunktion, eine Formel wie »Ich übergebe, Ende«.) Ein Schweigen, das scheinbar identisch ist mit einem anderen Schweigen, kann hundert verschiedene Intentionen ausdrücken. Ein Pfeifen übrigens auch, schweigend oder pfeifend miteinander zu reden, ist immer möglich. Das Problem ist, einander zu verstehen.

Oder keine der beiden Amseln kann die andere verstehen, jede glaubt, in ihr Pfeifen eine für sie ganz fundamentale Bedeutung gelegt zu haben, die aber nur sie erfaßt, während die andere etwas erwidert, das überhaupt nichts mit dem Gesagten zu tun hat. Dann wäre es ein Dialog zwischen Hörgeschädigten, ein Gespräch ohne Sinn und Verstand.

Aber sind die menschlichen Dialoge etwas anderes? Frau Palomar ist gleichfalls im Garten und gießt gerade die Männertreu. »Da sind sie wieder«, sagt sie – eine pleonastische Äußerung, wenn sie davon ausgeht, daß ihr Mann die Amseln bereits beobachtet; andernfalls, wenn er sie noch nicht gesehen hätte, eine unverständliche; in jedem Falle aber geäußert, um die eigene Priorität in Sachen Amselbeobachtung zu erhärten (denn in der Tat war es Frau Palomar gewesen, die als erste die Amseln entdeckt und ihren Mann auf sie hingewiesen hatte) und um die Unfehlbarkeit des von ihr schon so oft registrierten Wiedererscheinens der Vögel zu unterstreichen.

»Psst!« macht Herr Palomar, scheinbar nur um zu verhindern, daß seine Frau die Amseln durch lautes Reden verscheucht (eine unnötige Ermahnung, denn das Amselpaar ist längst an die Anwesenheit und die Stimmen des Paares Herr und Frau Palomar gewöhnt), in Wirklichkeit aber, um seiner Frau den Vorsprung streitig zu machen, indem er eine viel größere Fürsorglichkeit für die Amseln bezeugt als sie.

Darauf sagt nun Frau Palomar: »Seit gestern schon wieder ganz trocken«, womit sie die Erde des Beetes meint, das sie gerade gießt – an sich eine überflüssige Mitteilung, doch mit der unterschwelligen Intention, durch das Weiterreden und den Wechsel des Themas eine viel größere und zwanglosere Vertrautheit mit den Amseln zu bezeugen als er. Gleichwohl entnimmt nun Herr Palomar diesen knappen Informationen ein Gesamtbild von Ruhe, für das er seiner Frau dankbar ist – denn wenn sie ihm auf diese Weise bestätigt, daß es im Moment keine größeren Sorgen gibt, kann er sich weiter in seine Arbeit vertiefen (beziehungsweise in seine Pseudo- oder Hyper-Arbeit). Er läßt ein paar Minuten verstreichen und überlegt sich ebenfalls eine beruhigende Information, um seiner Frau mitzuteilen, daß seine Arbeit (seine Infra- oder Ultra-Arbeit) wie üblich vorangeht. Zu welchem Zweck er schließlich eine Reihe von Schnaub- und Knurrlauten ausstößt (»Herrgott!… Nach alldem!… Nochmal von vorn!… Ja, Himmel!«) – Äußerungen, die zusammengenommen auch die Botschaft »Ich bin sehr beschäftigt« enthalten, nur für den Fall, daß der letzte Satz seiner Frau womöglich einen versteckten Vorwurf enthielt, etwas wie: »Du könntest ruhig auch mal dran denken, den Garten zu gießen!«

Grundgedanke dieser verbalen Austauschprozesse ist die Annahme, daß ein vollendetes Einvernehmen zwischen Eheleuten Verständnis erlaubt, ohne erst alles lang und breit erklären zu müssen. Allerdings wird diese Theorie von den beiden Palomars auf sehr verschiedene Weise in die Praxis umgesetzt: Sie drückt sich in mehr oder minder vollständigen, aber oft allusiven oder sibyllinischen Sätzen aus, um die Assoziationsfähigkeit ihres Mannes auf die Probe zu stellen und die Feinabstimmung zwischen seinen und ihren Gedanken zu testen (was nicht immer funktioniert). Er dagegen läßt aus den Nebeln seines inneren Monologes einzelne, nur eben angedeutete Laute aufsteigen, im Vertrauen darauf, daß aus ihnen, wenn nicht die Klarheit einer vollständigen Botschaft, so doch das Zwielicht einer Stimmungslage hervorgeht.

Frau Palomar weigert sich allerdings, sein Gebrumm und Geknurre als Rede anzuerkennen, und um ihr Nichtbetroffensein zu betonen, sagt sie jetzt leise: »Psst, du verscheuchst sie!« – womit sie ihm die Ermahnung zurückgibt, die er glaubte, ihr entgegenhalten zu dürfen, und von neuem ihren Primat in Sachen Aufmerksamkeit für die Amseln bekräftigt.

Nach Verbuchung dieses Punktes zu ihren Gunsten entfernt sich Frau Palomar. Die Amseln picken auf dem Rasen und halten den Dialog der Palomars sicher für ein Äquivalent ihrer Pfiffe. Wir könnten genausogut einfach nur pfeifen – denkt Herr Palomar. Und damit tut sich ihm eine vielversprechende Perspektive auf, denn seit jeher war ihm die Diskrepanz zwischen dem Verhalten des Menschen und dem restlichen Universum eine Quelle tiefer Besorgnis. Die Gleichheit zwischen dem Pfeifen der Amseln und dem Pfeifen der Menschen erscheint ihm auf einmal als ein Brückenschlag über den Abgrund.

Würden die Menschen alles ins Pfeifen legen, was sie normalerweise dem Wort anvertrauen, und würden die Amseln im Pfeifen all das Nichtgesagte ihrer *conditio* als Naturwesen mitschwingen lassen, so wäre der erste Schritt getan, um die Trennung zu überwinden zwischen... ja, zwischen was? Natur und Kultur? Schweigen und Reden? Herr Palomar hofft immer, daß im Schweigen etwas enthalten sein möge, was mehr ist, als Sprache auszudrücken vermag. Aber wenn Sprache nun wirklich der Endpunkt wäre, das Ziel, zu welchem alles Seiende strebt? Oder wenn alles Seiende Sprache wäre, schon seit Anfang der Zeiten? Hier wird Herrn Palomar wieder ganz bang.

Er lauscht eine Weile sehr aufmerksam auf das Pfeifen der Amseln, dann versucht er es nachzuahmen, so gut er kann. Es folgt ein erstauntes Schweigen, als bedürfte seine Botschaft einer gründlichen Prüfung. Schließlich ertönt ein identisches Pfeifen, von dem Herr Palomar nur nicht weiß, ob es eine Erwiderung ist oder der Beweis, daß sein Pfeifen so grundverschieden ist, daß die Amseln sich überhaupt nicht davon stören lassen und ihren Dialog wieder aufnehmen, als ob nichts gewesen wäre.

Sie fahren fort zu pfeifen und einander erstaunt zu befragen, Herr Palomar und die Amseln.

Alexander Kluge
Glückliche Umstände, leihweise

> »Nun, Kommunikation ist allgemein
> dazu da, eine Information mitzuteilen,
> die auch anders ausfallen könnte.«
>
> *Niklas Luhmann*

Am selben Abend noch, von der Höhe des Hotels in 2000 Metern wie beschwipst, sprudelte aus seiner frohen Seele so viel Zauberkraft ins Umfeld, daß er ein Ehepaar, das sich auf die einsame Höhe des Berghotels zurückgezogen hatte, um ihre Trennung zu ordnen, umstimmte. Sie glaubten wieder ans gemeinsame Leben, leihweise. Noch ungläubig, sahen sie nicht mehr ein, warum sie in rechnerischer, sparsamer Weise sich auseinandergesetzt hatten, über ihre wechselseitigen Verlangen haderten, wenn sie doch einander zur Verfügung hatten als wertvolle Menschen. Bestrahlt von dem Gemüt des neu Angekommenen, in dem unter den Luftdruckverhältnissen der Höhe das Blut wärmend pulste, der sozusagen seinen Überschuß genoß, warteten sie nicht länger. In Gedanken fielen sie einander in die Arme, noch saßen sie am Rauchtischchen, und erkannten sich als die, die sie waren: Leute, die es schon lange miteinander aushielten und nicht gewußt hatten, was für einen Schatz sie in ihrer unmittelbaren Umgebung verwahrten.

Peter Bichsel
Die Hemden

»Wenn du mal stirbst«, sagt sie, »werde ich deine Hemden nicht weggeben.« Seine Hemden sind swissairblau.
»Ich mag es, deine Hemden zu bügeln«, sagt sie.
»Ich möchte vor dir sterben«, sagt sie.
Swissairblau war damals eine Farbe.

Vielen Dank, M'am

Langston Hughes
Vielen Dank, M'am

Sie war eine große Frau mit einer großen Handtasche, in der bis auf einen Hammer und Nägel alles enthalten war. Die Handtasche hatte einen langen Riemen, und sie trug sie quer über der Schulter. Es war gegen elf Uhr abends, es war dunkel, und sie war allein, als ein Junge von hinten auf sie zurannte und versuchte, die Handtasche an sich zu reißen. Der Riemen riß bei dem plötzlichen Ruck, den der Junge ihm von hinten gab. Aber das Gewicht des Jungen und der Handtasche zusammengenommen ließen ihn das Gleichgewicht verlieren. Statt sich mit vollem Tempo aus dem Staub zu machen, wie er es gehofft hatte, fiel der Junge hinterrücks auf den Bürgersteig, und seine Beine flogen in die Luft. Die große Frau drehte sich einfach um und versetzte ihm einen gutgezielten Tritt in seinen bluejeansbekleideten Hosenboden. Dann bückte sie sich, zog den Jungen am Hemdkragen hoch und schüttelte ihn, bis seine Zähne klapperten.

Danach sagte die Frau: »Heb' meine Handtasche auf, Junge, und gib sie hierher.«

Sie hatte ihn immer noch fest gepackt. Aber sie bückte sich so weit, daß der Junge sich vorbeugen und ihre Handtasche aufheben konnte. Dann sagte sie: »Sag mal, schämst du dich eigentlich nicht?«

Am Hemdkragen gepackt sagte der Junge: »Doch, M'am.«

Die Frau sagte: »Warum hast du das gemacht?«

Der Junge sagte: »Ich habe es nicht gewollt.«

Sie sagte: »Du lügst.«

Inzwischen kamen zwei oder drei Leute vorbei, blieben stehen, drehten sich noch einmal um, und ein paar standen da und beobachteten die Szene.

»Läufst du weg, wenn ich dich loslasse?« fragte die Frau.

»Ja, M'am«, sagte der Junge.

»Dann lasse ich dich nicht los«, sagte die Frau. Und sie ließ ihn nicht los.

»Lady, es tut mir leid«, flüsterte der Junge.

»Hm, hm! Dein Gesicht ist dreckig. Ich hätte gute Lust, dir das Gesicht zu waschen. Hast du daheim niemanden, der dir sagt, daß du dir das Gesicht waschen sollst?«

»Nein, M'am«, sagte der Junge.

»Dann wird es heute Abend gewaschen«, sagte die große Frau und fing an, die Straße entlangzugehen, wobei sie den verängstigten Jungen hinter sich herzerrte.

Er sah aus, als wäre er vierzehn oder fünfzehn, schmal und sehnig, in Turnschuhen und Jeans.

Die Frau sagte: »Du müßtest mein Sohn sein. Ich würde dir den Unterschied zwischen gut und böse schon beibringen. So werde ich dir wenigstens das Gesicht waschen. Es ist das mindeste, was ich tun kann. Hast du Hunger?«

»Nein, M'am«, sagte der mitgezerrte Junge. »Ich will nur, daß Sie mich loslassen.«

»Habe ich *dich* belästigt, als ich da hinten um die Ecke kam?« fragte die Frau.

»Nein, M'am.«

»Aber du hast dich mit *mir* in Kontakt gebracht«, sagte die Frau. »Wenn du jetzt denkst, daß dieser Kontakt nicht noch eine Weile dauern wird, dann kannst du gleich nochmal denken. Wenn ich mit dir fertig bin, junger Mann, wirst du dich an Mrs. Luella Bates Washington Jones erinnern.«

Auf dem Gesicht des Jungen brach der Schweiß aus, und er fing an, sich zu wehren. Mrs. Jones blieb stehen, zerrte ihn mit einem Ruck um sich herum nach vorn, legte einen halben Nakkenhebel um seinen Hals und schleppte ihn weiter die Straße entlang. Als sie ihre Tür erreicht hatte, zerrte sie den Jungen ins Haus, einen Flur entlang, und in ein großes Zimmer mit Kochnische im hinteren Teil des Hauses. Sie schaltete das Licht ein und ließ die Tür offenstehen. Der Junge konnte andere Mieter in dem großen Haus lachen und reden hören. Ein paar ihrer Türen standen auch offen, also wußte er, daß er und die Frau nicht allein waren. Die Frau hatte ihn in der Mitte ihres Zimmers immer noch am Hals gepackt.

Sie sagte: »Wie heißt du?«

»Roger«, antwortete der Junge.

»Dann gehst du jetzt an dieses Waschbecken, Roger, und wäschst dir das Gesicht«, sagte die Frau, woraufhin sie ihn losließ – endlich. Roger sah auf die Tür – sah auf die Frau – sah auf die Tür – *und ging ans Waschbecken.*

»Laß das Wasser laufen, bis es warm ist«, sagte sie. »Hier ist ein sauberes Handtuch.«

»Werden Sie mich ins Gefängnis bringen?« fragte der Junge und beugte sich über das Waschbecken.

»Nicht mit *dem* Gesicht, damit würde ich dich nirgends hinbringen«, sagte die Frau. »Da will ich nichts weiter als nach Hause gehen, um mir einen Happen zu kochen, und dann kommst du und klaust mir die Handtasche! Vielleicht hast du auch noch kein Abendessen gehabt, spät wie es ist. Hast du?«

»Bei mir ist niemand zu Hause«, sagte der Junge.

»Dann essen wir«, sagte die Frau. »Ich glaube, daß du Hunger hast – oder gehabt hast –, daß du versucht hast, mir die Handtasche zu klauen!«

»Ich will ein Paar blaue Wildlederschuhe haben«, sagte der Junge.

»Du hättest doch nicht *meine* Handtasche klauen müssen, um deine Wildlederschuhe zu kriegen«, sagte Mrs. Luella Bates Washington Jones. »Du hättest mich fragen können.«

»M'am?«

Während das Wasser von seinem Gesicht tropfte, sah der Junge sie an. Es entstand eine lange Pause. Eine sehr lange Pause. Nachdem er sich das Gesicht abgetrocknet hatte und es dann, da er nicht wußte, was er sonst tun sollte, ein zweites Mal abtrocknete, drehte der Junge sich um und fragte sich, was als nächstes kommen würde. Die Tür stand offen. Er konnte versuchen, durch den Flur zu rennen und abzuhauen. Er konnte wegrennen, wegrennen, wegrennen, *wegrennen*!

Die Frau saß auf der Klappcouch. Nach einer Weile sagte sie: »Ich war auch mal jung und wollte Sachen haben, die ich nicht kriegen konnte.«

Eine weitere lange Pause. Der Junge machte den Mund auf. Dann runzelte er die Stirn, ohne zu wissen, daß er sie runzelte.

Die Frau sagte: »Hm, hm! Du hast gedacht, ich würde *aber* sagen, nicht wahr? Du hast gedacht, ich würde sagen, *aber ich habe anderen Leuten nicht die Handtaschen geklaut.* Also, ich hatte nicht die Absicht, das zu sagen.« Pause. Schweigen. »Ich habe auch Sachen gemacht, die ich dir nicht sagen würde, Sohn – die ich nicht einmal Gott sagen würde, wenn Er sie nicht sowieso wüßte. Alle Leute haben was gemeinsam. Also setz dich, während ich uns was zu essen mache. Und vielleicht könntest du dir noch mit dem Kamm durch die Haare fahren, damit du etwas anständiger aussiehst.«

In einer anderen Ecke des Zimmers, hinter einem Wandschirm, befanden sich ein Gaskocher und ein Kühlschrank. Mrs. Jones stand auf und ging hinter den Wandschirm. Die Frau behielt den Jungen *nicht* im Auge, um zu sehen, ob er jetzt weglaufen würde, noch behielt sie ihre Handtasche im Auge, die sie auf der Couch liegengelassen hatte. Aber der Junge achtete sorgfältig darauf, sich auf die andere Seite des Zimmers zu setzen, weit weg von der Handtasche, wo sie ihn, wie er dachte, leicht aus den Augenwinkeln sehen konnte, wenn sie wollte. Er traute der Frau nicht zu, ihm *nicht* zu mißtrauen. Und er wollte jetzt nicht, daß ihm mißtraut wurde.

»Brauchen Sie noch etwas aus dem Laden?« fragte der Junge.

»Vielleicht Milch, oder sonst was?«

»Ich denke nicht«, sagte die Frau. »Außer, du selbst hättest lieber frische Milch. Ich wollte Kakao aus der Dosenmilch machen, die ich hier habe.«

»Das wäre prima«, sagte der Junge.

Sie wärmte Bohnen und Schinken auf, die sie im Kühlschrank hatte, machte den Kakao und deckte den Tisch. Die Frau stellte dem Jungen keine Fragen darüber, wo er wohnte oder wer seine Leute waren oder sonst etwas, was ihn in Verlegenheit bringen könnte. Statt dessen erzählte sie ihm beim Essen von ihrer Arbeit im Schönheitssalon eines Hotels, der bis spät geöffnet hatte, wie die Arbeit war und daß alle Arten von Frauen kamen und gingen, Blondinen und Rothaarige und Dunkelhaarige. Dann schnitt sie ihm die Hälfte ihres Zehn-Cent-Kuchens ab.

»Iß noch was, Sohn«, sagte sie.

Als sie fertig waren, stand sie auf und sagte: »Und jetzt nimmst du die zehn Dollar hier und kaufst dir deine blauen Wildlederschuhe. Und das nächste Mal machst du nicht den Fehler, dich an *meiner* Handtasche zu vergreifen, *und auch nicht an der von irgend jemandem sonst* – weil einem nämlich Schuhe, die man auf teuflische Art bekommen hat, die Füße verbrennen. Ich muß jetzt meine Ruhe haben. Aber ich hoffe, Sohn, daß du dich von jetzt an anständig benimmst.«

Sie führte ihn durch den Flur zur Haustür und öffnete sie. »Gute Nacht! Benimm dich, Junge!« sagte sie, den Blick auf die Straße gerichtet, während er die Treppe hinunterging.

Der Junge hätte gerne etwas anderes als »Vielen Dank, M'am« zu Mrs. Luella Bates Washington Jones gesagt, aber obwohl seine Lippen sich bewegten, konnte er nicht einmal das sagen, als er sich am Fuß der armseligen Treppe umdrehte und zu der großen Frau hinaufsah, die in der Tür stand. Dann machte sie die Tür zu.

Ernest Hemingway
Ein Tag Warten

Er kam ins Zimmer, um die Fenster zu schließen, während wir noch im Bett lagen, und ich fand, daß er krank aussah. Er fröstelte; sein Gesicht war weiß, und er ging langsam, als ob jede Bewegung weh täte.

»Was ist los, Schatz?«

»Ich habe Kopfschmerzen.«

»Dann geh lieber wieder ins Bett.«

»Nein, ich bin ganz in Ordnung.«

»Du gehst ins Bett. Ich komme zu dir, sobald ich angezogen bin.«

Aber als ich herunterkam, war er angezogen und saß am Feuer und sah wie ein kranker, jämmerlicher, neunjähriger Junge aus. Als ich ihm die Hand auf die Stirn legte, wußte ich, daß er Fieber hatte.

»Du gehst rauf ins Bett«, sagte ich. »Du bist krank.«

»Ich bin ganz in Ordnung«, sagte er.

Als der Doktor kam, nahm er die Temperatur des Jungen.

»Wieviel hat er?« fragte ich ihn.

»Hundertundzwei.«

Unten ließ der Doktor drei verschiedene Medikamente in verschiedenfarbigen Kapseln zurück, mit Anweisungen, wie sie zu nehmen waren. Das eine sollte das Fieber herunterbringen, das zweite war ein Abführmittel, und das dritte war gegen Übersäure im Magen. Die Grippebazillen können nur bei Übersäure existieren, hatte der Arzt erklärt. Er schien alles über Grippe zu wissen und sagte, es wäre nicht weiter besorgniserregend, falls die Temperatur nicht auf hundertvier stiege. Es herrsche eine leichte Grippeepidemie, und es bestände keinerlei Gefahr, wenn keine Lungenentzündung hinzukäme.

Als ich wieder ins Zimmer kam, schrieb ich die Temperatur des Jungen auf und notierte, wann man ihm die verschiedenen Medikamente geben sollte.

»Möchtest du, daß ich dir vorlese?«

»Schön. Wenn du willst«, sagte der Junge. Sein Gesicht war sehr weiß, und er hatte dunkle Schatten unter den Augen. Er lag reglos im Bett und schien gleichgültig gegen alles, was vorging.

Ich las ihm aus Howard Pyles *Piratenbuch* vor, aber ich sah, daß er nicht bei der Sache war.

»Wie fühlst du dich, Schatz?« fragte ich ihn.

»Genauso wie vorhin«, sagte er.

Ich saß am Fußende des Bettes und las für mich, während ich darauf wartete, daß es Zeit war, ihm wieder ein Pulver zu geben. Normalerweise hätte er einschlafen müssen, aber als ich aufblickte, blickte er das Fußende des Bettes an und hatte einen seltsamen Ausdruck im Gesicht.

»Warum versuchst du nicht einzuschlafen? Ich werd dich wekken, wenn es Zeit für die Medizin ist.«

»Ich möchte lieber wach bleiben.«

Nach einer Weile sagte er zu mir: »Papa, du brauchst nicht hier bei mir zu bleiben, wenn es dir unangenehm ist.«

»Es ist mir nicht unangenehm.«

»Nein, ich meine, du brauchst nicht zu bleiben, wenn es dir unangenehm wird.«

Ich dachte, daß er vielleicht ein bißchen wirr sei, und nachdem ich ihm um elf das verschriebene Pulver gegeben hatte, ging ich eine Weile hinaus.

Es war ein klarer, kalter Tag. Den Boden bedeckte eine Graupelschicht, die gefroren war, sodaß es so aussah, als ob die kahlen Bäume, die Büsche, das Reisig und all das Gras und der kahle Boden mit Eis glasiert wären. Ich nahm den jungen irischen

Hühnerhund zu einem Spaziergang mit, die Landstraße hinauf und dann einen zugefrorenen Bach entlang. aber es war schwierig, auf der glasigen Oberfläche zu stehen oder zu gehen, und der rotbraune Hund rutschte aus und schlidderte, und ich fiel zweimal heftig hin, und das eine Mal ließ ich meine Flinte dabei fallen, die ein ganzes Stück über das Eis wegglitt.

Wir jagten ein Volk Wachteln unter einem hohen Lehmdamm mit überhängendem Gestrüpp auf, und ich tötete zwei, als sie über die Anhöhe hinweg außer Sicht gingen. Einige stießen in die Bäume nieder, aber die meisten schwärmten in die Reisighaufen, und man mußte mehrmals auf den eisüberzogenen Reisigbündeln hin- und her springen, bis sie hochgingen. Es war schwierig, sie zu treffen, als sie aufflogen, während man unsicher auf dem eisglatten, federnden Reisig stand, und ich tötete zwei und verfehlte fünf und machte mich auf den Heimweg, vergnügt, weil ich so dicht von zu Haus ein Wachtelvolk aufgetrieben hatte, und froh, daß für einen andern Tag noch so viele übrig waren.

Zu Hause sagte man mir, daß der Junge keinem erlaubt habe, in sein Zimmer zu kommen.

»Du kannst nicht reinkommen«, hatte er gesagt. »Du darfst das nicht bekommen, was ich habe.«

Ich ging zu ihm hinauf und fand ihn in genau derselben Lage, wie ich ihn verlassen hatte, weiß-gesichtig, aber mit roten Fieberflecken auf den Backen. Er starrte immer noch, wie er vorher gestarrt hatte, auf das Fußende des Bettes. Ich nahm seine Temperatur.

»Wieviel habe ich?«

»Ungefähr hundert«, sagte ich. Es waren hundertundzwei und vier Zehntel.

»Es waren hundertundzwei«, sagte er.

»Wer hat das gesagt?«

»Der Doktor.«

»Deine Temperatur ist ganz in Ordnung«, sagte ich. »Kein Grund, sich aufzuregen.«

»Ich rege mich nicht auf«, sagte er, »aber ich muß immer denken.«

»Nicht denken«, sagte ich. »Nimm's doch nicht so tragisch.«

»Ich nehme es nicht tragisch«, sagte er und sah starr vor sich hin. Er nahm sich offensichtlich wegen irgend etwas schrecklich zusammen.

»Schluck dies mit viel Wasser.«

»Glaubst du, daß es helfen wird?«

»Natürlich wird es.«

Ich setzte mich hin und schlug das *Piratenbuch* auf und begann zu lesen, aber ich konnte sehen, daß er nicht folgte, darum hörte ich auf.

»Um wieviel Uhr glaubst du, daß ich sterben werde?« fragte er.

»Was?«

»Wie lange dauert es noch ungefähr, bis ich sterbe?«

»Aber du stirbst doch nicht bei einer Temperatur von hundertundzwei. Es ist albern, so zu reden.«

»Ich weiß aber, daß es so ist. In der Schule in Frankreich haben mir die Jungen erzählt, daß man mit vierundvierzig Grad nicht leben kann. Ich habe hundertundzwei.«

Er hatte den ganzen Tag auf seinen Tod gewartet, die ganze Zeit über, seit neun Uhr morgens.

»Mein armer Schatz«, sagte ich. »Mein armer, alter Schatz. Es ist wie mit Meilen und Kilometern. Du wirst nicht sterben. Es ist ein anderes Thermometer. Auf *dem* Thermometer ist siebenunddreißig normal. Auf dieser Sorte ist es achtundneunzig.«

»Bist du sicher?«

»Völlig«, sagte ich. »Es ist wie mit Meilen und Kilometern. Weißt du, so wie: wieviel Kilometer machen wir, wenn wir siebzig Meilen im Auto fahren?«

»Ach«, sagte er.

Aber die Starre verschwand langsam aus seinem auf das Fußende seines Bettes gerichteten Blick; auch seine Verkrampftheit ließ schließlich nach und war am nächsten Tag fast ganz weg, und er weinte wegen Kleinigkeiten los, die ganz unwichtig waren.

Luigi Malerba

Schimpfwörter

Ottorino hatte die schlechte Angewohnheit, Schimpfwörter zu sagen. Er sagte sie bei Tisch, auf der Straße, in der Schule, morgens, nachmittags, abends, bei Regen, bei Sonne, am Meer, in den Bergen – und einmal ist ihm sogar in der Kirche eins entschlüpft, während der Priester die Messe las. Immer wenn Ottorino ein neues Schimpfwort kennen lernte, schrieb er es in ein kleines Heft, um es nicht zu vergessen. Ich sammle sie, erklärte er seiner Mutter. Die anderen Kinder sammelten Abziehbildchen oder Briefmarken. Er sammelte Schimpfwörter.

Ottorino war ein gutes, freundliches und fleißiges Kind. Er lernte eifrig Geometrie, Arithmetik, Geschichte und Geographie. Aber hie und da, zwischen einem rechten Winkel und einem Segment, schob er ein Schimpfwort ein. Oder er setzte eins zwischen Napoleon und Cavour, oder einfach mitten in die Poebene, oder auf den Gipfel des Monte Rosa, der bekanntlich der rosaste Berg von Europa ist. Die Lehrer in der Schule ließen seine Mutter kommen und sagten, es könne so nicht weitergehen. Eines Tages hatte Ottorino sogar am Ende des Weihnachtsgedichts ein Schimpfwort gesagt.

Ottorinos Mama hatte es gründlich satt. Du bist ein Schmutzfink, schalt sie ihn. Aber da fing das Kind an, auch noch nachts im Schlaf Schimpfwörter zu sagen. Ottorinos Mama überlegte, daß Wörter sich ja im Mund formen, und weil sich in Ottorinos Mund so viele schmutzige Wörter formten, beschloß sie, ihn auszuwaschen. Sie wusch ihm den Mund mit Kernseife. Zuerst füllte sie den ganzen Mund mit Seifenschaum, dann schrubbte sie ihn und spülte ihn gründlich aus, und Ottorino heulte, und heulend schluckte er auch ein wenig Seifenschaum herunter. Am Schluß aber war der Mund blitzsauber.

Von diesem Tag an sagte Ottorino keine schmutzigen Wörter mehr, aber er sagte auch die sauberen nicht mehr. Er sagte gar nichts mehr, er sprach nicht mehr.

– »Sprich doch, Ottorino, sag doch was« – flehte ihn seine Mutter verzweifelt an.

Aber das Kind schwieg und hörte nicht mehr auf zu schweigen, bei Tag und bei Nacht.

Die arme Frau bereute es bitter, daß sie seinen Mund mit Seife gewaschen hatte und fütterte ihn mit Bonbons, Eis und süßen Speisen. Aber alles war umsonst. Sie erzählte ihm Märchen, um ihn zu unterhalten, aber Ottorino ließ sich unterhalten und fuhr fort zu schweigen.

Eines Abends vor dem Schlafengehen nahm Ottorinos Mutter das kleine Heft mit den Schimpfwörtern zur Hand und begann ihm daraus vorzulesen. Viele Abende hintereinander las sie ihm die Schimpfwörter aus dem kleinen Heft vor und hörte immer erst auf, wenn Ottorino eingeschlafen war.

Endlich, eines Abends, als ihm vor Müdigkeit die Augen zufielen, öffnete das Kind den Mund und sagte »Scheiße«. Seine Mutter weinte vor Freude und rief am nächsten Tag alle Freunde und Verwandten zusammen, und sie feierten, daß Ottorino wieder sprach.

Jurek Becker
Die Klage

Im Frühjahr 1973 brachte mein Sohn Leonard aus der Schule einen Brief folgenden Inhalts nach Hause: »Sehr geehrte Eltern! Ihr Sohn Leonard folgt leider nur dann aufmerksam dem Unterricht, wenn er interessant ist.«

Joachim Ringelnatz

Kuttel Daddeldu erzählt seinen Kindern das Märchen vom Rotkäppchen

Kinners, wenn ihr mal fünf Minuten lang das Maul halten
könnt, dann will ich euch die Geschichte vom Rotkäppchen erzählen, wenn ich mir das noch zusammenreimen kann. Der
alte Kapitän Muckelmann hat mir das vorerzählt, als ich noch
so klein und so dumm war, wie ihr jetzt seid. Und Kapitän
Muckelmann hat nie gelogen.

Also lissen tu mi. Da war mal ein kleines Mädchen. Das wurde
Rotkäppchen angetitelt – genannt heißt das. Weil es Tag und
Nacht eine rote Kappe auf dem Kopfe hatte. Das war ein schönes Mädchen, so rot wie Blut und so weiß wie Schnee und so
schwarz wie Ebenholz. Mit so große runde Augen und hinten
so ganz dicke Beine und vorn – na kurz, eine verflucht schöne,
wunderbare, saubere Dirn.

Und eines Tages schickte die Mutter sie durch den Wald zur
Großmutter; die war natürlich krank. Und die Mutter gab Rot-
käppchen einen Korb mit drei Flaschen spanischen Wein und
zwei Flaschen schottischen Whisky und einer Flasche Rostocker
Korn und einer Flasche Schwedenpunsch und einer Buttel mit
Köm und noch ein paar Flaschen Bier und Kuchen und solchen
Kram mit, damit sich Großmutter mal erst stärken sollte.

»Rotkäppchen«, sagte die Mutter noch extra, »geh nicht vom
Wege ab, denn im Walde gibts wilde Wölfe!« (Das ganze muß
sich bei Nikolajew oder sonstwo in Sibirien abgespielt haben.)
Rotkäppchen versprach alles und ging los. Und im Walde be-
gegnete ihr der Wolf. Der fragte: »Rotkäppchen, wo gehst du
denn hin?« Und da erzählte sie ihm alles, was ihr schon wißt.
Und er fragte: »Wo wohnt denn deine Großmutter?«

Und sie sagte ihm das ganz genau: »Schwiegerstraße dreizehn zur ebenen Erde.«

Und da zeigte der Wolf dem Kinde saftige Himbeeren und Erdbeeren und lockte sie so vom Wege ab in den tiefen Wald.

Und während sie fleißig Beeren pflückte, lief der Wolf mit vollen Segeln nach der Schwiegerstraße Nummero dreizehn und klopfte zur ebenen Erde bei der Großmutter an die Tür.

Die Großmutter war ein mißtrauisches, altes Weib mit vielen Zahnlücken. Deshalb fragte sie barsch: »Wer klopft da an mein Häuschen?«

Und da antwortete der Wolf draußen mit verstellter Stimme: »Ich bin es, Dornröschen!«

Und da rief die Alte: »Herein!« Und da fegte der Wolf ins Zimmer hinein. Und da zog sich die Alte ihre Nachtjacke an und setzte ihre Nachthaube auf und fraß den Wolf mit Haut und Haar auf.

Unterdessen hatte sich Rotkäppchen im Walde verirrt. Und wie so pißdumme Mädel sind, fing sie an, laut zu heulen.

Und das hörte der Jäger im tiefen Wald und eilte herbei. Na – und was geht uns das an, was die beiden dort im tiefen Walde miteinander vorgehabt haben, denn es war inzwischen ganz dunkel geworden, jedenfalls brachte er sie auf den richtigen Weg.

Also lief sie nun in die Schwiegerstraße. Und da sah sie, daß ihre Großmutter ganz dick aufgedunsen war.

Und Rotkäppchen fragte: »Großmutter, warum hast du denn so große Augen?« Und die Großmutter antwortete: »Damit ich dich besser sehen kann!«

Und da fragte Rotkäppchen weiter: »Großmutter, warum hast du denn so große Ohren?«

Und die Großmutter antwortete: »Damit ich dich besser hören kann!«

Und da fragte Rotkäppchen weiter: »Großmutter, warum hast du denn so einen großen Mund?«

Nun ist das ja auch nicht recht, wenn Kinder sowas zu einer erwachsenen Großmutter sagen.

Also da wurde die Alte fuchsteufelswild und brachte kein Wort mehr heraus, sondern fraß das arme Rotkäppchen mit Haut und Haar auf. Und dann schnarchte sie wie ein Walfisch. Und draußen ging gerade der Jäger vorbei.

Und der wunderte sich, wieso ein Walfisch in die Schwieger-straße käme. Und da lud er seine Flinte und zog sein langes Messer aus der Scheide und trat, ohne anzuklopfen, in die Stube.

Und da sah er zu seinem Schrecken statt einen Walfisch die auf-gedunsene Großmutter im Bett.

Und – diavolo caracho! – da schlag einer lang an Deck hin! – Es ist kaum zu glauben! – Hat doch das alte gefräßige Weib auch noch den Jäger aufgefressen. –

Ja, da glotzt ihr Gören und sperrt das Maul auf, als käme da noch was. – Aber schert euch jetzt mal aus dem Wind, sonst mach ich euch Beine. Mir ist schon sowieso die Kehle ganz trocken von den dummen Geschichten, die doch alle nur er-logen und erstunken sind.

Marsch fort! Laßt euren Vater jetzt eins trinken, ihr – überflüs-sige Fischbrut!

Lily Brett
Vater

Letzte Woche hatte ich ein scheußliches Erlebnis. Ich rief meinen zweiundachtzigjährigen Vater in Australien an. Für ihn war es halb neun Uhr morgens.

Als er den Hörer abnahm, wußte ich, daß ich ihn geweckt hatte. Seine Stimme klang benommen. Sein polnisch-jüdischer Akzent war stärker als sonst, deutlicher. Trotzdem schien er sich zu freuen, von mir zu hören.

»Ich hab' dich geweckt«, sagte ich.

»Nein, nein«, wehrte er ab. »Ich bin noch im Bett, aber ich war schon wach.«

»Du klingst noch ganz schlaftrunken«, sagte ich.

»Ich bin aber wach«, sagte er so schläfrig, als sei er im Begriff einzunicken.

Ich machte mir Sorgen. Irgend etwas stimmte nicht. »Deine Stimme klingt so komisch, Dad«, sagte ich.

»Ich nehm' ein anderes Telefon«, sagte er.

Eines seiner Telefone hatte seit Wochen nicht richtig funktioniert. »Nein, laß nur, ich rufe in fünf Minuten wieder an«, sagte ich. »Bis dahin bist du dann richtig wach.«

»Mein Vater klingt so komisch«, sagte ich zu meinem Mann.

»Er klingt morgens immer komisch«, sagte mein Mann. »Wie eine unaufdringlichere Ausgabe von Henry Kissinger.«

»Er ist nicht ganz bei sich«, sagte ich. »Und Henry Kissinger ist er auch nicht. Irgend etwas stimmt nicht.«

Ich spürte Panik in mir aufsteigen. Ich drückte die Wahlwiederholungstaste. Diesmal klang mein Vater besser. Wacher. »Hallo, hallo, es ist schön, von dir zu hören«, sagte er. Dann verstummte er. Seine Stimme hatte wehmütig und ein wenig atemlos geklungen.

Mir war elend zumute. »Was hast du heute gemacht?« fragte mich mein Vater mit beinahe unhörbarer Stimme. Mir war, als werde er gleich verschwinden. Ich lief zu meinem Mann.

»Irgendwas stimmt nicht mit meinem Vater«, flüsterte ich ihm aufgeregt zu.

»David will dich sprechen«, sagte ich zu meinem Vater. David ist mein Mann. »Okay«, sagte mein Vater.

»Ich liebe dich, Dad«, sagte ich. »Ich liebe dich auch«, antwortete er. Ich reichte meinem Mann das Telefon. Mein Herz pochte. Ich war gereizt.

Mein Mann sprach mehrere Minuten lang mit meinem Vater. Er erzählte ihm von unseren zwei Töchtern und sprach über ein politisches Thema. Ich ging unterdessen auf und ab.

Ich wollte mich gerade beruhigen, als ich meinen Mann sehr langsam zu meinem Vater sagen hörte: »Wie heißen Sie?« Eine Minute darauf sagte er ebenso langsam: »Wie heiße ich?«

Ich begann zu zittern. Ich wußte jetzt, daß etwas Schreckliches mit meinem Vater passiert war. Kopflos versuchte ich zu überlegen, was zu tun war. Ich kam mir so fern von ihm vor.

Eine halbe Minute später legte mein Mann den Hörer auf. Er trat zu mir. »Das war nicht dein Vater«, sagte er. »Du hast eine falsche Nummer gewählt.«

Ich konnte es nicht glauben. »Natürlich war das mein Vater«, sagte ich. »Ich habe zehn Minuten lang mit ihm gesprochen.«

»Es war jemand anders«, sagte mein Mann. »Er wollte mir nicht sagen, wie er heißt.«

Ich betätigte noch einmal die Wahlwiederholungstaste. Die Nummer im Display des Telefons war nicht die meines Vaters. – Ich hatte mich mit der letzten Ziffer verwählt. Mein Vater lebt in einer Gegend mit vielen jüdischen Familien. Ich hatte den polnisch-jüdischen Vater von jemand anderem angerufen.

Ich konnte es noch immer nicht ganz fassen. Ich wählte die

Nummer meines Vaters. Er nahm ab. Er klang wie immer. Lebhaft, energisch, aufbrausend. Ich war so glücklich, seine Stimme zu hören, daß ich in Tränen ausbrach.

Ich erzählte ihm die ganze Geschichte. Mittendrin begann er zu lachen, so sehr, daß er aufstehen und sich ein Papiertaschentuch holen mußte. Er lachte Tränen.

»Mit wem kann ich nur gesprochen haben?« sagte ich zu meinem Vater, als er schließlich zu lachen aufhörte.

»Du hast doch seine Nummer«, sagte er. »Soll ich ihn anrufen?«

»Nein«, sagte ich. »Er klang nicht sehr interessant.« »Hat er dich gefragt, wer du bist?« fragte mein Vater. »Nein«, sagte ich. »Aber er hat sich offenbar gefreut, von mir zu hören. Er hat gesagt, daß er mich liebt.«

Mein Vater fing wieder zu lachen an. Vor lauter Lachen konnte er kaum sprechen. Ich mußte mitlachen.

»Ich bin so froh, daß du mein Vater bist«, sagte ich zu ihm. »Ich mag dich viel lieber als ihn.«

Der Freund fürs Leben

Amos Oz
Die gute Stunde

An Winterabenden versammelte sich manchmal bei uns oder im Haus gegenüber, bei den Sarchis, ein kleiner Freundeskreis: Chaim und Chana Toren, Schmuel Werses, das Ehepaar Breimann, der aufbrausende und sonderbare Herr Scharon-Schwadron, Herr Chaim Schwarzbaum, der rothaarige Folklorist, und Israel Chanani, der bei der Jewish Agency arbeitete, mit seiner Frau Esther Chanani. Sie kamen nach dem Abendessen, um sieben oder halb acht, und gingen um halb zehn, was damals als spät galt. Zwischen Kommen und Gehen tranken die Gäste glühendheißen Tee, aßen Honigkekse oder Früchte und debattierten in höflichem Zorn über alle möglichen Dinge, die ich nicht verstand, aber, das wußte ich, eines Tages verstehen und mit ebendiesen Leuten diskutieren würde. Und ich würde ihnen künftig noch schlagende Argumente liefern, die ihnen gar nicht in den Sinn gekommen waren, wäre vielleicht sogar fähig, sie zu überraschen, würde zu gegebener Zeit vielleicht auch Geschichten »aus dem Kopf« verfassen, wie Herr Sarchi, oder Gedichte wie Bialik und wie Großvater Alexander und Levin Kipnis und wie der Arzt Dr. Scha'ul Tschernichowski, dessen Geruch ich nie vergessen werde.

Die Sarchis waren nicht nur Vaters ehemalige Vermieter, sondern auch sehr nahe Freunde, trotz der ständigen Meinungsverschiedenheiten zwischen meinem Vater, dem Revisionisten, und dem »roten« Sarchi: Vater liebte das Reden und Erläutern, und Herr Sarchi hörte gern zu. Mutter flocht hin und wieder ein oder zwei leise Sätze ein, und zuweilen führten ihre Worte dazu, daß das Gespräch unmerklich das Thema oder die Tonart wechselte. Esther Sarchi wiederum stellte manchmal Fragen, und Vater genoß es, ihr mit ausführlichen Erklärungen zu antworten. Israel Sarchi wandte sich ab und zu an Mutter, gesenkten Blickes, und fragte sie nach ihrer Meinung, als bitte er sie in Geheimsprache, sie möge ihm in der Not beistehen, ihn in der Diskussion unterstützen: Mutter konnte alles in neuem Licht erscheinen lassen, mit wenigen, zurückhaltenden Worten tat sie das, und danach hielt manchmal ein feiner, friedlicher Geist Einzug in die Diskussion. Eine neue Ruhe, eine Behutsamkeit oder ein leichtes Zögern mischte sich nun in die Reden der Debattierenden. Bis sich die Gemüter nach einiger Zeit erneut erhitzten und die Stimmen wieder in kultiviertem, aber von Ausrufezeichen strotzendem Zorn anschwollen.

Im Jahr 1947 erschien im Tel Aviver Verlag Joshua Chachik Vaters erstes Buch, *Die Novelle in der hebräischen Literatur. Von ihren Anfängen bis zum Ende der Haskala-Zeit.* Dieses Buch beruhte auf der Magisterarbeit, die Vater seinem Lehrer und Onkel, Professor Klausner, eingereicht hatte. Die Titelseite trägt den Vermerk: »Dieses Buch hat den Klausner-Preis der Stadt Tel Aviv erhalten und wurde mit dessen Hilfe und mit Hilfe des Zippora-Klausner-Gedenkfonds veröffentlicht.« Professor Dr. Joseph Klausner höchstpersönlich hatte das Vorwort verfaßt:

Es ist mir eine doppelte Freude, ein hebräisches Buch über die Novelle im Druck zu sehen, das mir, in meiner Eigenschaft als Professor für Literatur an unserer einzigen hebräischen Universität, als Abschlußarbeit im Gebiet der modernen hebräischen Literatur von meinem langjährigem Schüler, meinem Neffen Jehuda Arie Klausner, vorgelegt wurde. Dies ist keine gewöhnliche Arbeit … Es ist eine umfassende und erschöpfende Studie … Auch der Stil des Buches ist zugleich

vielgestaltig und klar, dem wichtigen Inhalt angemessen …
Ich kann also gar nicht umhin, mich zu freuen … Der Talmud sagt: »Schüler sind wie Söhne …«

Und auf einer eigenen, dem Titelblatt folgenden Seite widmete mein Vater dieses Buch dem Andenken seines Bruders David:

Meinem ersten Lehrer der Literaturgeschichte –
meinem einzigen Bruder
David
der mir in der Finsternis der Diaspora verlorenging.
Wo bist du?

Zehn bis vierzehn Tage lang lief Vater, auf dem Rückweg von der Arbeit in der Zeitungsabteilung der Nationalbibliothek auf dem Skopusberg, tagtäglich zu unserem Postamt am östlichen Ende der Ge'ula-Straße, gegenüber dem Durchgang zum Viertel Mea Schearim, in gespannter Erwartung der Belegexemplare seines ersten Buches, das, wie es hieß, bereits erschienen und in einer Tel Aviver Buchhandlung auch schon von jemandem gesichtet worden war. Tag für Tag lief Vater also zur Post, und Tag für Tag kehrte er mit leeren Händen zurück, und Tag für Tag erklärte er, wenn die Büchersendung von Herrn Gruber in der Druckerei Sinai auch morgen nicht eintreffen sollte, würde er zur Apotheke gehen und entschieden, mit allem Nachdruck Herrn Joshua Chachik in Tel Aviv anrufen: Das ist doch wirklich unerträglich! Wenn die Bücher nicht bis Sonntag, bis Mitte der Woche, allerspätestens bis Freitag ankommen sollten … – doch dann kam die Sendung, nicht per Post, sondern mittels einer Botin, einer heiteren jungen Jemenitin, die uns ein Paket ins Haus brachte, nicht aus Tel Aviv, sondern direkt von der Druckerei Sinai (Jerusalem, Telefon 2892). Das Paket enthielt fünf Exemplare von *Die Novelle in der hebräischen Literatur*, druckfrisch, jungfräulich, eingeschlagen in mehrere Lagen hochwertiges weißes Papier (das man offenbar für die Korrekturfahnen eines Bildbandes verwendet hatte) und mit Bindfaden wohlverschnürt. Vater dankte dem Mädchen, vergaß auch in seiner stürmischen Freude nicht, ihr einen Shilling in die Hand zu drücken (damals ein durchaus respektabler Betrag, der für ein vegetarisches Mittagessen in einem Tnuva-Imbiß reichte). Danach bat Vater Mutter und mich, mit an den Schreibtisch zu kommen und beim Öffnen des Pakets neben ihm zu stehen.

Ich erinnere mich, wie Vater seine bebende Gier in Zaum hielt, den Bindfaden des Pakets nicht etwa mit Gewalt zerriß, ihn auch nicht mit der Schere kappte, sondern – ich werde es nie vergessen – die festen Knoten, einen nach dem anderen, mit unendlicher Geduld löste, wobei er wechselweise seine starken Fingernägel, die Spitze des Brieföffners und eine aufgebogene Büroklammer benutzte. Auch als er fertig war, stürzte er sich nicht auf das neue Buch, sondern rollte bedachtsam den Bindfaden auf, entfernte das prächtige Hochglanzpapier, das als Verpackung diente, berührte mit den Fingerspitzen leicht den Einband des obersten Exemplars, wie ein schüchterner Liebhaber, führte es behutsam an sein Gesicht, öffnete das Buch ein wenig, schloß die Augen und schnupperte zwischen den Seiten, atmete tief den frischen Druckgeruch, den Hauch des neuen Papiers, den betörenden Geruch des Buchbinderleims ein. Dann begann er in dem Buch zu blättern, warf zuerst einen Blick ins Register, überflog mit scharfem Auge die Seite mit den Berichtigungen und Ergänzungen, las erneut Onkel Josephs Vorwort und seine eigene Einführung, berauschte sich an der Titelseite, streichelte wieder den Einband und erschrak plötzlich bei dem Gedanken, meine Mutter könne sich im stillen über ihn lustig machen: »Ein druckfrisches neues Buch«, sagte er wie entschuldigend zu ihr, »ein erstes Buch, das ist doch beinahe so, als wäre mir gerade eben noch ein Baby geboren worden.«

»Wenn man ihm die Windeln wechseln muß«, sagte Mutter, »wirst du mich bestimmt rufen.«

Darauf ging sie, war aber gleich wieder aus der Küche zurück mit einer Flasche Tokaier – süßem Kidduschwein – und drei winzigen Gläschen, die für Likör gedacht waren, nicht für Wein, und sagte, wir wollen jetzt auf das Wohl von Vaters erstem Buch anstoßen. Sie schenkte ihm und sich ein und auch mir ein Tröpfchen, und vielleicht gab sie ihm auch einen Kuß auf die Stirn wie einem Kind, und er streichelte ihr den Kopf.

Am Abend breitete Mutter eine weiße Decke über den Küchentisch, wie am Schabbat und an Feiertagen, und servierte Vaters Lieblingsgericht – Borschtsch, auf dem ein weißer Eisberg aus Sauerrahm schwamm –, und sie sagte »auf die gute Stunde«. Auch Großvater und Großmutter kamen an jenem Abend, um an der bescheidenen Feier teilzunehmen. Großmutter meinte zu Mutter, der Borschtsch sei gut und schön und auch ziemlich schmackhaft, aber – möge Gott sie davor bewahren, um Himmels willen irgendwelche Ratschläge geben zu wollen – es sei doch seit eh und je bekannt, schon jedem kleinen Mädchen, sogar den gojischen Dienstmädchen, die dort in jüdischen Häusern gekocht hätten, daß der Borschtsch säuerlich und nur ganz wenig süß sein müsse, keinesfalls aber süß und nur leicht säuerlich sein dürfe, nach Art der Polen, die ja bekanntlich alles maß- und grenzenlos und ohne Sinn und Verstand süßten, und wenn man nicht aufpasse, würden sie noch den Salzhering in Zucker ertränken, und sogar den Meerrettich wären sie imstande, in Marmelade zu baden.

Mutter wiederum dankte Großmutter, daß sie uns an ihrer reichen Erfahrung habe teilnehmen lassen, und versprach, von heute an dafür zu sorgen, daß sie bei uns nur noch Bitteres und Saures bekäme, so recht nach ihrem Herzen. Vater war viel zu froh und gutgelaunt, um auf solche Sticheleien zu achten. Er schenkte ein Buch mit Widmung seinen Eltern, eines Onkel Joseph, eines seinen Herzensfreunden Esther und Israel Sarchi, eines weiß ich nicht mehr, wem, und das letzte reihte er seiner Bibliothek ein, an auffälliger Stelle, eng angelehnt, als würde es sich anschmiegen, an die Reihe der Schriften seines Onkels, des Professors Joseph Klausner.

Drei, vier Tage währte Vaters Freude, dann schlug seine Freude in Niedergeschlagenheit um. So wie er vor Eintreffen der Sendung tagtäglich zum Postamt gerannt war, so rannte er nun tagtäglich zur Buchhandlung Achiasaf in der King-George-Straße: Drei Exemplare von Die *Novelle in der hebräischen Literatur* standen dort. Auch am nächsten Tag waren die drei noch dort, kein Exemplar war verkauft worden. Und so war es auch nach zwei und nach drei Tagen.

»Du«, sagte Vater mit einem traurigen Lächeln zu seinem Freund Israel Sarchi, »du setzt dich hin, schreibst alle sechs Monate einen neuen Roman, und sofort schnappen all die schönen Mädchen danach und nehmen dich auf der Stelle mit ins Bett. Und wir Forscher mühen uns jahrelang ab, jede Einzelheit zu belegen, jeden Zitatfetzen genau zu überprüfen, brüten Tag und Nacht über einer kleinen Fußnote, und wer liest es? Höchstens wir selbst, das heißt, drei bis vier Mitgefangene unserer Disziplin lassen sich herab, einander zu lesen, ehe sie einander verreißen – und manchmal selbst das nicht. Ignorieren es einfach.«

Es verging eine Woche, und nicht eines der drei Exemplare bei Achiasaf war verkauft. Vater sprach nicht mehr über seinen

Kummer, aber sein Kummer erfüllte die ganze Wohnung wie ein Geruch. Er brummte nicht länger schrecklich falsch beim Rasieren oder Geschirrspülen die Melodie von »Felder im fruchtbaren Tal« oder »Tau von drunten, Mond überall, von Bet Alfa bis Nahalal«. Erzählte mir nicht mehr die Handlung des Gilgamesch-Epos oder die Abenteuer von Kapitän Nemo und Ingenieur Cyrus Smith in *Die geheimnisvolle Insel*, sondern versenkte sich wütend in die Papiere und Lexika auf seinem Schreibtisch, zwischen denen sein nächstes gelehrtes Werk Konturen anzunehmen begann.

Doch dann, nach weiteren zwei, drei Tagen, am Freitag nachmittag, kurz vor Schabbatbeginn, kam Vater glücklich und aufgeregt und am ganzen Leib bebend nach Hause, wie ein Junge, dem die Klassenschönste vor aller Welt einen Kuß gegeben hat: »Verkauft! Alle verkauft! An einem Tag! Nicht ein Exemplar! Nicht zwei Exemplare! Alle drei sind verkauft! Alle! Mein Buch ist ausverkauft – und Shachna Achiasaf wird bei Chachik in Tel Aviv ein paar neue Exemplare bestellen! Was heißt, wird?! Hat schon bestellt! Heute morgen! Per Telefon! Nein, nicht noch drei Exemplare, sondern fünf! Und er meint, auch das sei noch nicht das letzte Wort!«

Wieder ging Mutter aus dem Zimmer und kehrte mit der Flasche unerträglich süßem Tokaier und den drei winzigen Likörgläschen zurück. Sie verzichtete diesmal auf Borschtsch mit Sauerrahm und auf die weiße Tischdecke. Statt dessen schlug sie vor, am Abend mit ihm ins Edison-Kino zu gehen, um sich in der ersten Vorstellung einen berühmten Film mit Greta Garbo anzusehen, die beide bewunderten.

Mich ließen sie bei den Sarchis, um dort zu Abend zu essen und mich vorbildlich zu benehmen, bis sie um neun oder halb zehn zurück sein würden. Vorbildlich, hörst du?! Damit wir auch nicht die leiseste Klage über dich hören! Wenn sie den Tisch decken, denk daran, daß du Frau Sarchi anbietest, ihr zu helfen. Nach dem Essen, aber erst wenn alle vom Tisch aufstehen, nimm dein Geschirr und stell es vorsichtig auf die Marmorplatte neben den Spülstein. Vorsichtig, hörst du?! Daß du nichts zerbrichst. Und nimm, wie zu Hause, einen Lappen und wisch schön das Wachstuch ab, nachdem der Tisch abgeräumt ist. Und rede nur, wenn du angesprochen wirst. Wenn Herr Sarchi arbeitet, dann such dir ein Spielzeug oder Buch und gib keinen Ton von dir! Und wenn Frau Sarchi, Gott behüte, wieder über Kopfschmerzen klagt, dann belästige sie mit nichts. Mit gar nichts, hörst du?!

Dann gingen sie. Frau Sarchi zog sich vielleicht ins andere Zimmer zurück oder besuchte eine Nachbarin, und Herr Sarchi und ich gingen zusammen in sein Arbeitszimmer, das, wie bei uns, zugleich auch als Schlafzimmer und Wohnzimmer diente. Das Zimmer, das einmal Vaters Studentenbude und dann das Zimmer meiner Eltern gewesen war, das Zimmer, in dem sie mich wahrscheinlich gezeugt haben, denn sie hatten vom Tag ihrer Hochzeit bis etwa einen Monat vor meiner Geburt darin gelebt.

Herr Sarchi ließ mich auf dem Sofa Platz nehmen und unterhielt sich ein wenig mit mir, worüber, weiß ich nicht mehr, aber nie werde ich vergessen, wie ich plötzlich auf dem kleinen Tisch beim Sofa nicht weniger als vier Exemplare von *Die Novelle in der hebräischen Literatur* entdeckte, aufgestapelt wie im Laden: ein Exemplar hatte Vater, wie ich wußte, Herrn Sarchi mit Widmung geschenkt, »meinem Freund und Gefährten, der mir teuer ist«, und noch drei, bei denen ich einfach nicht begriff, was und wieso, und um ein Haar Herrn Sarchi gefragt hätte, doch im letzten Moment erinnerte ich mich an die drei Exemplare, die gerade heute, nachdem man die Hoffnung schon aufgegeben hatte, bei Achiasaf in der King-George-Straße end-lich gekauft worden waren, und sogleich überflutete mich eine Welle tiefer Dankbarkeit und rührte mich fast zu Tränen. Herr Sarchi sah, daß ich im Bild war, lächelte jedoch nicht, sondern blickte mich einen Moment von der Seite an, kniff ein wenig die Augen zusammen, als nähme er mich schweigend in ei-nen Verschwörerring auf, sagte kein Wort, beugte sich nur vor, nahm drei der vier Exemplare vom Tisch und steckte sie in eine untere Schublade seines Schreibtisches. Auch ich schwieg, sag-te kein Wort, nicht zu ihm und nicht zu meinen Eltern. Erzähl-te es niemandem, bis zu Sarchis frühem Tod und bis zum Ster-betag meines Vaters, niemandem, außer, viele Jahre später, der Tochter, Nurit Sarchi, die nicht verwundert schien über das, was ich ihr erzählte.

Zwei, drei Schriftsteller gehören zu meinen besten Freunden, sind mir seit Jahrzehnten lieb und vertraut, aber ich bin nicht sicher, daß ich fähig wäre, für einen von ihnen etwas zu tun, was dem gleichkommt, was Israel Sarchi für meinen Vater ge-tan hat. Wer weiß, ob ich überhaupt auf solch einen großzügi-gen Einfall gekommen wäre. Israel Sarchi lebte doch, wie alle damals, wirklich von der Hand in den Mund. Und die drei Exemplare von *Die Novelle in der hebräischen Literatur* koste-ten ihn bestimmt mindestens so viel wie ein notwendiges Klei-dungsstück für den Winter.

Herr Sarchi ging aus dem Zimmer und kam mit einer Tasse lauwarmen Kakao ohne Haut zurück, weil er sich von den Be-suchen bei uns daran erinnerte, daß man mir abends Kakao ohne Haut zu trinken gab, und ich dankte ihm höflich, wie man es mir beigebracht hatte, und hätte ihm sehr, sehr gern noch etwas gesagt, was mir wichtig war, fand aber nicht die Worte und saß nur ganz still auf dem Sofa in seinem Zimmer, um ihn ja nicht bei der Arbeit zu stören, obwohl Herr Sarchi an jenem Abend eigentlich gar nicht arbeitete, sondern einfach dasaß und im *Davar* blätterte, bis meine Eltern aus dem Kino zurückkamen, den Sarchis dankten und sich eilig verabschiedeten, um mich nach Hause zu bringen, denn es war ja schon sehr spät, man mußte Zähne putzen und sofort schlafen gehen.

Peter Bichsel
Mit freundlichen Grüßen

Meine Briefe enden mit freundlichen Grüßen, einer Floskel zwar, aber trotzdem, mir scheint, ich setze die Floskel mit Bedacht, auch wenn ich nicht genau weiß, was ich eigentlich mit ihr meine. Heißt das vielleicht, daß ich freundlich sein möchte, oder meint es gar ein Angebot von Freundschaft? Ich habe auch schon gezögert, die Floskel zu setzen, wenn ich weiß, daß der Empfänger den Satz gar nicht lesen wird, daß er für ihn so selbstverständlich unverständlich ist wie für mich – trotzdem, ich mag es, daß unsere Briefe freundlich enden.

Ich habe meinen Freund im Spital besucht, es ging ihm sehr schlecht, es war schlimm für mich – jetzt geht es ihm besser, mir auch. »Mein Freund«, ein eigenartiges Wort, viel zu groß für unsere kleinen Feste, die wir feiern, wenn wir uns treffen. Nein, ich glaube, wir nennen uns gegenseitig nicht so. Das Wort taugt nichts in der Einzahl, in der Mehrzahl geht es: »Meine Freunde« ist viel unverbindlicher als »mein Freund«, und »befreundet sein« heißt bereits nicht viel mehr, als sich einigermaßen zu kennen und ab und zu, meist selten, zu sehen.

Freunde haben wir zwar, und befreundet sind wir auch. Aber »mein Freund«, das hat fast etwas Kindisches.

Ja, als Kinder, damals in der Schule, da hatten wir noch einen Freund. Jeder nur einen. Und irgendwie gab es damals noch keine Mehrzahl, man hatte damals keine Freunde, man hatte einen Freund, einen einzigen. Und daß man ihn hatte, war nichts anderes als ein Beschluß, nichts anderes als eine Behauptung. Vielleicht unternahm man mit ihm gar nicht besonders viel, vielleicht hatte man zu ihm gar nicht eine besondere Beziehung – aber er war der Freund, ein für alle Mal.

Und nur noch eine Behauptung, gar nichts anderes als eine Behauptung, war damals, als ich ein kleiner Schüler war, die Freundschaft zu einem Mädchen: Rösli K., das war eine tiefernste Liebe. Und sie beschränkte sich darauf, daß ich ihr ein kleines Zettelchen nicht etwa selbst überreichte, sondern auf komplizierten Wegen zuspielen ließ. Auf dem Zettelchen standen die Wörter: »Willst Du mich für den Schatz haben?« Auch das eine Floskel, die nur so und nicht anders heißen konnte und vielleicht nicht einmal unterschrieben war, vielleicht nicht einmal beantwortet.

Aber ab nun war Rösli die Liebe. Die Behauptung hatte stattgefunden. Gesprochen hatte ich mit ihr wohl nie. Höchstens rote Ohren bekommen, wenn ich sie sah, und war unter einem Vorwand weggerannt. Aber die reine (und vorpubertäre) Behauptung hat sich in meine Seele eingebrannt. Sie ist noch da. Ich habe Rösli nach unserer Schulzeit nie mehr gesehen. Aber sie ist noch da – nicht das Rösli, aber die Behauptung Rösli, der Beschluß Rösli. So ernsthaft können wohl nur Kinder sein.

Oder die beiden jungen Frauen im Coffee-Shop in New York, Studentinnen wohl. Ich frühstückte da ab und zu. Sie kannten meine Bestellung zum voraus und brachten mir die Rühreier und die wunderbar schlechten Bratkartoffeln – ich versuche seit Jahren zu Hause so schlechte Bratkartoffeln zu machen, sozusagen als gute Erinnerung, es gelingt mir nicht. Die beiden Frauen waren sehr freundlich, zwei strahlende Wesen, aber mehr als »Guten Tag«, »Danke schön« und »Bitte schön« sprachen wir nicht miteinander. Eines Morgens nun standen die beiden da mit verweinten Augen, brachten schluchzend die Eier und den Kaffee, und ich wußte in meiner Hilflosigkeit nichts anderes zu sagen als: »Can I help you?« – »Kann ich Ihnen helfen?« »Nein«, bekam ich zur Antwort, »Elvis ist tot.«

Das machte mich sprachlos. Zwei intelligente Wesen weinten

hier um einen dicklichen Schnulzensänger. Sehr wahrscheinlich hatten auch sie mal als kleine Kinder beschlossen und behauptet, ihn zu lieben. Ich ging in den nächsten Plattenladen, kaufte mir zwei Presley-Platten, ging nach Hause und hörte ihn den ganzen Tag – eigentlich bewundernd, und nach und nach ging mir sein Tod nahe: Hier war einer gestorben, der von zwei Frauen geliebt wurde.

Ich habe meinen Freund im Spital besucht, ich habe um ihn gezittert. Er hat überlebt – erst jetzt weiß ich, was ich verloren hätte, ich wische eine Träne vom Auge. Wie lange kennen wir uns schon? 43 Jahre! Aber seit wann eigentlich sind wir Freunde? Irgendeinmal muß uns wohl – unausgesprochen – diese kindliche Behauptung noch einmal gelungen sein: »Willst du mein Freund sein?«

Marcel Pagnol

Der Freund fürs Leben

Bei Tisch aß ich mit großem Appetit, als Onkel Jules etwas sagte, das ich zuerst gar nicht beachtete.

»Ich denke«, sagte er, »daß unser Gepäck keine zu große Belastung für den Karren von François sein wird. Sicher kann er Rose noch unterbringen, auch Augustine, das Baby und die Kleine und vielleicht sogar noch Paul. Was meinst du, Paul?«

Aber der kleine Paul konnte nicht antworten. Ich sah, wie seine Unterlippe dick wurde und sich dann zum Kinn hinunterbog. Dieses Anzeichen, das ich sinnigerweise mit dem Nachttopfrand der kleinen Schwester verglich, war mir wohlbekannt. Wie gewöhnlich folgte auf dieses Symptom ersticktes Schluchzen, worauf zwei dicke Tränen aus seinen blauen Augen quollen.

»Was ist denn los?« Meine Mutter nahm ihn sofort auf den Schoß. Er zerfloß in Tränen.

»Aber schau, großes Baby«, sagte sie, »du weißt doch, daß das nicht ewig so bleiben konnte. Außerdem kommen wir ja bald wieder … Es ist nicht mehr lange bis Weihnachten!«

Ich fühlte ein Unglück nahen.

»Was sagt sie?«

»Sie sagt, daß die Ferien zu Ende sind«, antwortete der Onkel und schenkte sich in aller Ruhe ein Glas Wein ein.

Ich fragte mit erstickter Stimme:

»Wann sind sie zu Ende?«

»Übermorgen müssen wir fort«, sagte mein Vater. »Heute ist Freitag.«

»Heute *war* Freitag«, sagte der Onkel, »und Sonntag früh fahren wir.«

»Du weißt doch, daß Montag die Schule anfängt«, sagte die Tante.

Im Augenblick begriff ich nichts und sah sie ganz verständnislos an.

»Sei doch vernünftig!« sagte meine Mutter, »es ist schließlich keine Überraschung! Wir sprechen schon seit acht Tagen davon.«

Es ist wahr, sie hatten davon gesprochen, aber ich hatte es nicht hören wollen. Ich wußte, daß dieses Unheil unweigerlich hereinbrechen mußte, genauso wie die Leute wissen, daß sie eines Tages sterben müssen. Aber sie sagen sich: es ist noch nicht an der Zeit, sich mit diesem Problem zu beschäftigen. Wenn es soweit ist, werden wir daran denken.

Jetzt *war* es an der Zeit. Der Schreck machte mich stumm und nahm mir beinahe den Atem. Mein Vater sah es und sprach sehr lieb zu mir.

»Sei vernünftig, mein Junge! Du hast zwei lange Monate Ferien gehabt ...«

»Was ich übertrieben finde«, unterbrach ihn der Onkel. »Wärst du Präsident der Republik, hättest du nicht so viel Ferien.«

Dieses einfallsreiche Argument berührte mich wenig, denn ich war entschlossen, so hohe Ämter erst nach Beendigung meines Militärdienstes anzustreben.

»Du hast ein entscheidendes Jahr vor dir«, fuhr der Vater fort. »Vergiß nicht, daß du dich bis zum Juli auf das Gymnasialstipendium vorbereiten mußt, um dann im Oktober in die höhere Schule eintreten zu können.«

»Du weißt, wie wichtig das ist«, sagte meine Mutter. »Du erklärst immer, daß du Millionär werden willst. Aber wenn du nicht aufs Gymnasium kommst, wirst du es nie!«

Sie glaubte fest daran, daß Reichtum eine Art Auszeichnung sei, mit der Arbeit und Wissen belohnt werden.

»Und dann«, sagte der Onkel, »lernst du auf dem Gymnasium Latein, und ich verspreche dir, daß du dich dafür begeistern wirst. Ich habe Latein zum bloßen Vergnügen gelernt, sogar während der Ferien.«

Diese seltsamen, spätere Jahrhunderte betreffenden Vorschläge konnten die traurige Wirklichkeit nicht verbergen: die Ferien waren zu Ende, und ich fühlte, wie mein Kinn zitterte.

»Ich hoffe, du wirst nicht weinen!« sagte mein Vater.

Ich hoffte es auch und machte die größten Anstrengungen, mit dem Heroismus eines Indianers am Marterpfahl. Meine Verzweiflung wurde zur Revolte, ich eröffnete den Gegenangriff.

»Natürlich ist das eure Sache«, sagte ich, »aber was mich am meisten beunruhigt, ist, daß Mama nie zu Fuß bis hinunter nach La Barasse kommen wird ...«

»Wenn das deine Hauptsorge ist, kann ich dich beruhigen«, sagte mein Vater. »Wie Onkel Jules vorgeschlagen hat, fahren die Frauen und Kinder Sonntag früh mit François' Karren, der sie bei La Treille an der Omnibushaltestelle absetzt.«

»Was ist das für ein Omnibus?«

»Er fährt nur sonntags und bringt uns bis zur Trambahn.«

Die Erwähnung eines sonntäglichen Omnibusses, den noch keiner von uns gesehen hatte, war der Beweis für einen genau überlegten Plan: sie hatten an alles gedacht.

»Und die Feigen?« fragte ich abrupt.

»Welche Feigen?«

»Die von der Terrasse. Mehr als die Hälfte sind noch übrig und erst in acht Tagen werden sie reif. Wer soll sie essen?«

»Wir vielleicht, wenn wir in sechs Wochen zu Allerheiligen für ein paar Tage heraufkommen.«

»Bis dahin haben die Spatzen, die Drosseln und die Holzfäller sich in die Beute geteilt! Es wird keine einzige Feige übrigbleiben. Und all die Weinflaschen im Keller! Sollen die auch verderben?«

»Im Gegenteil«, sagte Onkel Jules. »Der Wein wird um so besser, je älter er wird.«

Diese siegesgewisse Versicherung entwaffnete mich. Sofort änderte ich meine Taktik.

»Das ist richtig«, sagte ich. »Aber denkt ihr auch an den Garten? Papa hat Tomaten gepflanzt, und wir haben noch keine einzige geerntet. Und der Lauch? Er ist noch nicht größer als mein kleiner Finger!«

»Möglich, daß ich mich in meinen landwirtschaftlichen Berechnungen geirrt habe«, sagte mein Vater. »Aber hauptsächlich ist die Trockenheit schuld. Bis heute hat es nicht ein einziges Mal geregnet.«

»Nun gut«, sagte ich, »aber jetzt wird es regnen, und alles wird prachtvoll gedeihen. Es ist wirklich ein Unglück!«

»Mach dir keine Sorge!« sagte mein Vater. »Wir werden das Vergnügen haben, unser Gemüse zu Hause zu essen. François hat versprochen, sich darum zu kümmern, und wenn er zum Markt fährt, wird er uns immer einen Spankorb voll mitbringen.«

In dieser Art machte ich noch viele absurde Einwände, um zu beweisen, daß eine so plötzliche Abreise undurchführbar sei. Als ob es möglich gewesen wäre, den Schulbeginn damit hinauszuschieben! …

Ich habe mich oft gefragt, wie ich ohne einen Schatten von Reue und ohne die geringste Unruhe einen solchen Entschluß fassen konnte. Ich verstehe es erst jetzt.

Bis zum traurigen Zeitpunkt der Pubertät ist die Welt des Kindes nicht die unsrige. Kinder haben das herrliche Gefühl der Allgegenwart.

Jeden Tag, noch während ich am Familientisch frühstückte, lief ich schon in Gedanken auf die Hügel und nahm im Gebüsch eine noch warme Amsel aus der Falle.

Dieses Gebüsch, die Amsel und die Falle waren für mich genauso Wirklichkeit wie das Wachstuch auf dem Tisch, der Milchkaffee und das Porträt des sanft von der Wand lächelnden Präsidenten der Republik, M. Fallières.

Wenn mein Vater mich plötzlich fragte: »Wo bist du?« kehrte ich ins Eßzimmer zurück, aber nicht wie aus einem Traum aufgeschreckt: die beiden Welten bestanden nebeneinander.

Ich antwortete sofort voller Protest: »Ich bin hier!«

Das stimmte auch, und für eine Weile spielte ich Familienleben. Aber das Surren einer Fliege versetzte mich augenblicklich in die Lanzelotschlucht, wo mir einmal drei kleine blaue Fliegen gefolgt waren. Das Gedächtnis der Kinder ist so außerordentlich, daß mir gleichzeitig tausend Kleinigkeiten einfielen, die ich vorher nicht bemerkt zu haben glaubte, ähnlich dem Ochsen, der beim Wiederkäuen des Grases auf den Geschmack von Kräutern kommt, die er gedankenlos abgeweidet hat.

So war es mir schon zur Gewohnheit geworden, meine liebe Familie zu verlassen, denn ich lebte meistens ohne sie und fern von ihr. Mein Unternehmen war also keine umwälzende Neuerung. Die einzige Veränderung im täglichen Leben würde meine körperliche Abwesenheit sein.

Jedoch meine Angehörigen, was würden sie inzwischen tun? Daran dachte ich nur flüchtig, denn ich war nicht sicher, ob sie während meiner Abwesenheit weiter existierten. Wenn sie aber fortbestanden, könnte es nur ein unwirkliches Leben sein und folglich frei von Kummer und Schmerz.

Außerdem verließ ich sie ja nicht für immer; ich hatte die Absicht, eines Tages zurückzukommen und sie wieder zum Leben zu erwecken. Damit würde ich ihnen eine so große und wahr-

haftige Freude bereiten, daß die Ängste ihrer bösen Träume sofort vergessen wären und der Gewinn dieser ganzen Geschichte ein Übermaß an Glück sein würde.

Nach dem Essen ging Lili heim, da seine Mutter angeblich auf
ihn wartete, um beim Dreschen der Kichererbsen zu helfen; in
Wahrheit wollte er den Keller besichtigen und Vorräte für mich
ergattern, weil er wußte, daß die Mutter um diese Zeit auf dem
Feld war. Ich ging gleich in mein Zimmer unter dem Vorwand,
meine kleinen, persönlichen Sachen, die ich in die Stadt mitnehmen wollte, zusammenzusuchen und verfaßte meinen Abschiedsbrief:

Mein lieber Papa!
Meine liebe Mama!
Meine lieben Verwandten!
Vor allem regt Euch nicht auf – das führt zu nichts. Ich habe
meine Berufung erkannt: ich werde *Eremitt.*
Ich habe alles mitgenommen, was ich brauche.
Für mein Studium ist es nun zu spät, weil ich darauf *verzichtet*
habe. Wenn es nicht gelingt, komme ich wieder nach Hause.
Mein Glück ist das Abenteuer! Gefahr ist nicht dabei. Ich habe
zwei Aspirintabletten von der Fabrik Rhône mitgenommen.
Also regt euch nicht auf!
Übrigens werde ich nicht ganz allein sein. Eine Person (die ihr
nicht kennt) wird mir Brot bringen und mir bei Unweter Gesellschaft leisten. Sucht mich nicht: Ich bin *unauffindbar.*
Achte auf Mamas Gesundheit. Jeden abend werde ich an sie
denken.
Du kannst im Gegenteil stolz auf mich sein, denn um Eremitt
zu werden, braucht man Muht. Und den habe ich. Hier der Beweis!

Wenn Ihr zurückkommt, werdet ihr mich nicht wiedererkennen, wenn ich nicht sage: »Ich bin's!«
Paul wird ein bißchen eifersüchtig sein, aber das schadet nichts.
Küßt ihn vielmals von seinem Älteren Bruder.
Ich umarme euch zärtlich, vor allem meine liebe Mama

Euer Sohn
Marcel
Der Eremitt der Hügel

Darauf holte ich einen alten Strick, den ich am Brunnen von Boucan im Gras gefunden hatte. Er war nicht ganz zwei Meter lang und mehrere Fasern waren durch das Reiben an den Mauersteinen gerissen, doch schien mir, daß er mein Gewicht noch aushalten würde, wenn ich mich aus dem Fenster meines Zimmers hinunterließ. Ich versteckte dieses Hanfseil unter meiner Matratze.

Endlich schnürte ich das berühmte ›Bündel‹: etwas Wäsche, ein Paar Schuhe, das spitze Messer, eine Axt, Löffel und Gabel, Bleistift, Heft und Buch, Bindfaden, Nägel, einen kleinen Kochtopf und einige ausrangierte Werkzeuge. Das alles steckte ich unter mein Bett, um später, wenn die Familie schlafen gegangen war, mit Hilfe meiner Decke ein Bündel daraus zu machen.

Meine beiden Jagdtaschen waren bereits zur Winterruhe im Schrank verstaut. Ich füllte sie mit verschiedenen Eßwaren – getrockneten Mandeln, Pflaumen und Schokolade –, die ich aus den für die Stadt zurechtgemachten Paketen und Ballen herausgeholt hatte.

Ich war durch diese heimlichen Vorbereitungen sehr erregt. Schamlos wühlte ich in allen Koffern – sogar in dem von Onkel Jules – und kam mir dabei vor wie Robinson Crusoe, als er die Ladung des gestrandeten Schiffes durchsuchte und dabei tausend Schätze fand, zum Beispiel einen Hammer, eine Rolle Bindfaden, einen Sack Mehl.

Als alles fertig war, beschloß ich, die letzten Stunden, die ich noch bei ihr war, meiner Mutter zu widmen.

Sorgfältig schälte ich die Kartoffeln, wusch den Salat, deckte den Tisch und küßte ihr von Zeit zu Zeit die Hand.

Das letzte Abendessen war vorzüglich und üppiger als gewöhnlich, als gelte es ein glückliches Ereignis zu feiern.

Niemand sagte ein Wort des Bedauerns. Im Gegenteil schienen alle sehr zufrieden, daß sie in den Ameisenhaufen zurückkehren sollten.

Der Onkel sprach von seinem Büro, mein Vater gestand, daß er zum Jahresende die akademischen Palmen erhoffe, und Tante Rose erwähnte noch einmal das Gas ... Ich sah, daß sie bereits fort waren.

Aber ich, ich blieb hier.

Ein kleiner Stein schlug an den Eisenbeschlag des Fensterladens. Das war das verabredete Zeichen. Ich war schon ganz angezogen und öffnete lautlos das Fenster. Ein Flüstern drang durch die Nacht:

»Bist du fertig?«

Als Antwort ließ ich an dem Bindfaden mein Bündel herunter. Dann steckte ich den Abschiedsbrief mit einer Nadel an mein Kopfkissen und befestigte den Strick am Fensterriegel. Durch das Schlüsselloch schickte ich meiner Mutter einen letzten Kuß, und dann ließ ich mich zur Erde gleiten.

Lili wartete unter einem Olivenbaum. Ich konnte ihn kaum sehen. Er kam einen Schritt auf mich zu und sagte leise:

»Gehen wir!«

Vom Rasen hob er einen ziemlich schweren Sack auf, den er sich mit einem Ruck auf die Schulter lud.

»Das sind Kartoffeln, Karotten und Fallen«, sagte er.

»Ich habe Brot, Zucker, Schokolade und zwei Bananen. Geh nur weiter, wir sprechen später darüber.«

Schweigend stiegen wir den Hang hinauf, bis nach Petit-Œil.

Ich atmete mit Genuß die frische Nachtluft ein, und ohne die geringste Sorge dachte ich an mein neues Leben, das nun begann.

Wir schlugen, wie schon so oft, den Weg zum Taoumé ein.

Die Nacht war still, aber kalt, nicht ein Stern am Himmel. Mich fror.

Der Insektenschwarm des Sommers, das kleine Volk der Ferien, ließ sich in der schweigenden Traurigkeit des unsichtbaren Herbstes nicht mehr hören. Nur eine streunende Katze miaute kläglich, und eine Eule stieß ihre Flötentöne aus, die das melancholische Echo von Rapon getreulich wiedergab.

Wir gingen schnell, wie es sich für Flüchtende gehört. Das Gewicht der Säcke zog uns die Schultern herunter, und wir sprachen kein Wort. Die unbeweglichen Kiefern, die den Pfad säumten, sahen aus wie bleierne Schatten, und der Tau hatte alle Gerüche des Waldes ertränkt.

Nach einem Marsch von einer halben Stunde waren wir an Baptistins Hütte angelangt und setzten uns eine Weile auf den großen Stein am Eingang des Schafstalls.

Lili sprach als erster.

»Beinah wäre ich nicht gekommen.«

»Haben deine Eltern aufgepaßt?«

»Oh nein. Nicht deswegen.«

»Was war denn los?«

Nach einigem Zögern sagte er:

»Ich glaubte, du würdest es doch nicht tun.«

»Was nicht tun?«

»In den Hügeln bleiben. Ich glaubte, du hättest das nur so gesagt, und schließlich …«

In meinem Stolz gekränkt erhob ich mich.

»Du hältst mich also für ein Mädchen, das seine Pläne jede Minute ändert? Du glaubst, ich rede nur, um zu reden? Nun, du wirst es erleben! Wenn ich mich einmal zu etwas entschlossen habe, führe ich es auch aus. Und wenn du nicht gekommen wärst, wäre ich eben allein gegangen. Und wenn du Angst hast, brauchst du nur hierzubleiben. Ich weiß, wohin ich zu gehen habe.«

Mit festen Schritten machte ich mich wieder auf den Weg. Er stand ebenfalls auf, schulterte seinen Sack und beeilte sich, mir nachzukommen. Er überholte mich, blieb vor mir stehen, sah mich eine Sekunde lang an und sagte mit Überzeugung:

»Du bist großartig!«

Ich nahm sofort einen großartigen Ausdruck an, antwortete aber nichts. Er sah mich immer noch an und sagte:

»So was wie dich gibt's nur einmal!«

Endlich drehte er mir den Rücken und marschierte weiter, doch nach zehn Metern blieb er wieder stehen und sagte noch einmal:

»Da gibt's gar nichts, du bist großartig!«

Diese fassungslose Bewunderung, die meiner Eitelkeit schmeichelte, schien mir plötzlich beängstigend, und ich mußte mich sehr anstrengen, um ›großartig‹ zu bleiben.

Ich war drauf und dran, es zu schaffen, da kam es mir vor, als hätte ich etwas über den Kies schleichen hören. Ich stand still und spitzte die Ohren. Das Geräusch wiederholte sich.

»Das sind Nachtgeräusche«, sagte Lili, »man weiß nie genau, woher sie kommen. Es ist immer etwas unheimlich, aber du brauchst dich nicht zu fürchten, du wirst schnell daran gewöhnt sein.«

Er ging weiter, und wir erreichten die Felsen über der Hochebene von La Garette. Links von uns begann der dichte Kiefernwald des Taoumé. Morgennebel stieg zwischen den Stämmen auf und breitete sich in langsamen Spiralen über dem Gestrüpp aus.

In drei kurzen Abständen hörte ich ein scharfes Bellen, das mich erschreckte.

»Ist das ein Jäger?«

»Nein«, sagte Lili, »das ist der Fuchs. Wenn er so bellt, treibt er der Füchsin eine Beute zu. Auf diese Weise verständigt er sie.«

Wieder schrie die kleine, böse Stimme dreimal, wobei mir mein Naturkundebuch einfiel: der Elefant schreit, der Hirsch röhrt, der Fuchs kläfft.

Nun, da ich wußte, was es war, verlor der nächtliche Schrei seine Schrecken. Der Fuchs kläffte, nichts weiter. So und so oft hatte ich das in mein Aufgabenheft geschrieben. Ich war vollkommen beruhigt und wollte eben Lili an diesem beruhigenden Wissen teilnehmen lassen, als zu meiner Linken tief im Wald unter den herabhängenden Zweigen ein ziemlich großer Schatten schnell vorüberhuschte.

»Lili«, sagte ich mit leiser Stimme, »ich habe einen Schatten vorübergehen sehen.«

»Wo?«

»Dort unten.«

»Du träumst«, sagte er. »Es ist unmöglich, in der Nacht einen Schatten zu sehen ...«

»Ich sage dir, ich habe etwas vorbeigehen sehen.«

»Vielleicht war es der Fuchs.«

»Nein, es war größer. Ob es dein Bruder war, der auf Drosselfang geht?«

»Oh nein, dazu ist es zu früh. Es ist noch mindestens eine Stunde finster.«

»Oder vielleicht ein Wilderer?«

»Das glaube ich kaum … höchstens …«

Er blieb stehen und sah nun selbst schweigend nach dem Wald hinüber.

»Woran denkst du?«

Er antwortete mit einer Frage:

»Wie sah er aus, dieser Schatten?«

»Wie der Schatten eines Mannes.«

»Groß?«

»Ich weiß nicht, es war weit weg … ja, eher groß.«

»Mit einem Mantel? Einem langen Mantel?«

»Weißt du, so deutlich konnte ich ihn nicht sehen. Ich bemerkte etwas wie einen Schatten, der sich bewegte und hinter einer Kiefer oder einem Wacholderstrauch verschwand. Warum fragst du? Denkst du an jemand, der einen Mantel anhat?«

»Es könnte sein«, sagte er nachdenklich. »Mir ist er zwar nie begegnet, aber mein Vater hat ihn gesehen.«

»Wen denn?«

»Den großen Felix.«

»Ist das ein Hirt?«

»Ja«, sagte er, »ein Hirt aus alten Zeiten.«

»Was soll das heißen: aus alten Zeiten?«

»Weil es vor langer Zeit passiert ist.«

»Ich verstehe kein Wort.«

Er kam ganz nahe an mich heran und flüsterte mir ins Ohr: »Er ist mindestens fünfzig Jahre tot. Aber es ist besser, nicht davon zu sprechen, das könnte ihn herbringen.«

Als ich ihn erstaunt ansah, flüsterte er mir ins Ohr: »Es ist ein Gespenst!«

Diese Enthüllung war so aufregend, daß ich, um meine Angst zu verbergen, sarkastisch lachte und im Ton schneidender Ironie fragte:

»Glaubst du an Gespenster?«

Er schien ganz erschrocken und bat leise:

»Schrei nicht so laut! Ich sage dir, daß man ihn damit herbringt.«

Um ihn nicht zu ärgern, dämpfte ich meine Stimme.

»Und ich kann dir versichern, mein Vater, der ein Gelehrter ist, und mein Onkel, der auf der Verwaltung arbeitet, halten das für Unsinn. Sie lachen nur über Gespenster. Und ich lache auch darüber – ja, ganz gewiß, ich lache!«

»Mein Vater lacht nicht, denn er hat das Gespenst gesehen. Er hat es viermal gesehen.«

»Dein Vater ist ein tüchtiger Mann, aber er kann nicht einmal lesen.«

»Ich sage ja nicht, daß er lesen kann, ich sage, daß er das Gespenst gesehen hat.«

»Wo?«

»Einmal in der Nacht, als er im Schafstall von Baptistin schlief, hörte er draußen Schritte. Dann vernahm er einen tiefen Seufzer, wie von einem Sterbenden. Da schaute er durch eine Ritze in der Tür und sah einen großen Hirten mit Mantel und Stock und einem Riesenhut. Ganz grau, von oben bis unten.«

Um ihn nicht zu erzürnen, flüsterte ich wieder:

»Vielleicht war es ein richtiger Hirt?«

»Oh, bestimmt nicht. Als mein Vater die Tür aufmachte, war nichts mehr zu sehen, weder Hirt noch Gespenst. Nichts! Das ist der Beweis, daß es ein Gespenst war.«

Das war allerdings ein überwältigender Beweis!

»Und was macht das Gespenst, wenn es kommt? Was will es?«

»Es muß wohl ein sehr reicher Hirt gewesen sein. Er hatte mindestens tausend Hammel. Banditen haben ihn umgebracht. Sie haben ihm ein großes Messer zwischen die Schultern gestoßen und einen Sack voll Gold gestohlen. Deshalb kommt er immer wieder, um zu jammern, und dann sucht er seinen Sack.«

»Er weiß ganz gut, daß nicht wir ihn genommen haben.«

»Das hat mein Vater ihm auch gesagt.«

»Hat er mit ihm gesprochen?«

»Ja, als er zum viertenmal kam, hat mein Vater durch die Tür mit ihm gesprochen. Er hat ihm gesagt: ›Hör zu, Felix, ich bin ein Hirt wie du. Wo dein Schatz ist, weiß ich nicht. Also schlag mir nicht die Knochen kaputt, stör mich nicht immer, ich muß schlafen.‹ Darauf hat das Gespenst gar nicht geantwortet, nur ungefähr zehn Minuten vor sich hingepfiffen. Da wurde mein Vater zornig und hat zu ihm gesagt: ›Die Toten sind mir heilig, aber wenn du es so weiter treibst, komme ich heraus, mache drei Kreuze über dich und gebe dir sechs Fußtritte in den Hintern.‹«

»Das hat er zu ihm gesagt?«

»Ja, das hat er zu ihm gesagt. Und er hätte es auch getan, aber der andere hatte verstanden. Er ist fortgegangen und nie wiedergekommen.«

Die Geschichte war zu dumm, und ich entschloß mich, sie nicht zu glauben. Ich machte daher eine Anleihe bei einigen Redensarten meines Vaters.

»Offen gestanden finde ich es töricht«, sagte ich, »mir solche Geschichten zu erzählen. Das ist doch nichts wie Aberglaube. Gespenster sind Aberglaube des Volkes. Und Kreuzzeichen: das ist finsterstes Mittelalter!«

»Oho!« sagte Lili. »Kreuzschlagen ist das radikalste Mittel gegen Gespenster. Da kann niemand das Gegenteil behaupten, denn jeder weiß, daß Kreuzschlagen Gespenster in der Luft zerreißt.«

Ich lachte unsicher und fragte:

»Und du kannst Kreuzzeichen machen?«

»Klar!« sagte er.

»Und wie führt man diese Pantomime aus?«

Er bekreuzigte sich mehrmals feierlich. Spöttisch lächelnd machte ich es ihm nach. Da kam ein fernes Summen aus der Nacht, und ich erhielt einen leisen, trockenen Schlag mitten auf die Stirn. Ich konnte einen schwachen Schrei nicht unterdrücken. Lili bückte sich und hob etwas auf.

»Es ist ein Hirschkäfer«, sagte er.

Er zertrat ihn mit dem Absatz und ging weiter. Ich folgte ihm und sah mich von Zeit zu Zeit vorsichtig um.

Wir waren schon fast am Fuß des Taoumé, und ich konnte bereits deutlich die Umrisse des Felsens über dem Eingang zu meiner unterirdischen Klause erkennen, in der ich das große Abenteuer erleben würde.

Plötzlich blieb Lili stehen.

»Wir haben etwas vergessen!«

Seine Stimme verriet große Unruhe.

»Was denn?«

Statt mir zu antworten, schüttelte er den Kopf, stellte seinen Sack in die Lavendelbüsche und begann einen Monolog:

»Daß ich das vergessen konnte! Es ist wirklich kaum zu glauben! Ich hätte daran denken müssen! Aber du hast es auch vergessen … Was sollen wir jetzt tun?«

Er setzte sich auf einen Felsblock, schüttelte weiter den Kopf, verschränkte die Arme über der Brust und schwieg.

Dieses etwas theatralische Benehmen ärgerte mich, und ich fragte streng:

»Was fällt dir ein? Bist du verrückt geworden? Was haben wir denn vergessen?«

Mit dem Finger auf den Felsen zeigend, antwortete er mit dem mysteriösen Wort:

»Der Hibou.«[1]

»Was soll das heißen?«

»Der große Hibou.«

»Was?«

Er wurde ungeduldig und sagte energisch:

»Der Grand-Duc, der uns die Augen aushacken wollte! Der Uhu! Er hat sein Nest unter der Felsendecke. Und sicher hat er auch eine Frau. Wir haben nur einen gesehen, aber ich wette zwölf Fallen, daß zwei Vögel in der Höhle sind!«

Das war allerdings eine entsetzliche Nachricht. Man kann noch so ›großartig‹ sein, es gibt Augenblicke, in denen das Schicksal uns verrät.

Zwei große Uhus! Ich sah sie bereits um meinen Kopf kreisen, mit weitgeöffneten, gelben Schnäbeln, die ihre schwarzen Zungen sehen ließen, mit meergrünen Augen und gekrümmten Krallen, nur noch tausendmal gefährlicher in meinen Beschreibungen, die in meinen Alpträumen Gestalt annahmen. Ich schloß die Augen und atmete tief.

Nein, nein, das war ganz ausgeschlossen! Dann noch lieber in die Klasse von M. Besson, vor die Tafel mit den geometrischen Zeichen, dann noch lieber in die Stadt zurück und alle Bürgerpflichten auf sich nehmen.

Lili wiederholte:

»Es sind sicher zwei!«

Und jetzt zeigte ich mich um so ›großartiger‹, als ich bereits zum Rückzug im gegebenen Moment entschlossen war. Ich antwortete ihm kühl:

»Wir sind auch zu zweit! Hast du vielleicht Angst?«

»Ja«, sagte er, »ich habe Angst! Du bist dir über etwas sehr Wichtiges nicht klar. Wir haben den Uhu am Tag gesehen, des-

---

1 Eulenart

123

halb hat er sich nicht geregt … aber in der Nacht wacht er auf, und während du schläfst, hackt er dir die Augen aus … ein großer Uhu in der Nacht – das ist schlimmer als ein Adler.«

Ich dachte, wenn ich übertriebenen Mut zeigte, würde er sich weigern, mir zu folgen, daher antwortete ich entschlossen: »Deshalb warten wir die Morgendämmerung ab und greifen sie dann an! Mit dem spitzen Messer an einem langen Stock traue ich mir schon zu, diesen Vögeln zu beweisen, daß die Höhle ihre Bewohner gewechselt hat. Und jetzt Schluß mit dem Gerede! Wir wollen alles vorbereiten!«

Trotzdem rührte ich mich nicht. Er sah mich an und stand mit einem Ruck auf den Füßen.

»Du hast recht«, sagte er begeistert. »Schließlich sind es nur Vögel. Jetzt suchen wir uns zwei lange Wacholderstecken. Ich schneide meinen scharf und spitz zu, und dann spießen wir sie auf wie Hühnchen!«

Er ging ein paar Schritte weiter, öffnete sein Taschenmesser, bückte sich, um in die Büsche vorzudringen, und machte sich an die Arbeit.

Zu Füßen einer Kiefer auf dem Kies hockend, dachte ich nach.

Während er seinen Stecken zuschnitt, sagte er:

»Wenn sie nicht aus ihrem Loch herauskommen wollen, bohre ich meinen Stock hinein; dann sollst du sie krächzen hören!«

Ich begriff, daß er nicht spaßte, sondern entschlossen war, die großen Eulen anzugreifen. Er war der ›Großartige‹, und ich schämte mich meiner Feigheit.

Da rief ich meinen Lieblingshelden Robinson Crusoe zu Hilfe … wenn er sich in der Höhle eine Wohnung eingerichtet und dann die beiden Vögel entdeckt hätte, was hätte er gemacht? Es war nicht schwer zu erraten: er hätte sie auf der Stelle erwürgt, gerupft, über dem Feuer geröstet und der Vorsehung gedankt, die ihm zu einem so guten Braten verholfen hatte. Wenn ich mich vor diesen Tieren fürchtete, hätte ich kein Recht mehr, Abenteuerromane zu erleben, und die Helden auf den Bildern, die mir bisher immer gerade in die Augen geblickt hatten, würden ihre Köpfe wegdrehen, um das ›Herz einer Squaw‹ nicht sehen zu müssen.

Übrigens handelte es sich ja nicht mehr um Adler, mächtige und wilde Tiere, deren Namen schon Furcht und Schrecken einflößt, sondern um große Uhus, die mir viel weniger gefährlich erschienen.

Ich nahm also mutig mein spitzes Messer in die Hand und schärfte es an einem Stein.

Immerhin blieb noch das Gespenst. Ich wiederholte mir die beruhigende Versicherung meines Vaters: Gespenster gibt es nicht! Trotzdem schlug ich diskret einige Male das Kreuz, was bekanntlich die Gespenster in der Luft zerreißen soll.

Lili kroch aus dem Gebüsch hervor und zog zwei kerzengerade Zweige, länger als er selbst, hinter sich her. Einen davon gab er mir.

Ich nahm eine lange Schnur aus der Tasche und band den Griff des schrecklichen Messers an das dünnere Ende des Stockes. Lili saß neben mir und spitzte sorgfältig seine Waffe, so wie einen Bleistift.

Um uns durchdrang die Morgendämmerung den blassen Nebel. In dem fahlen Licht sah man, wie kleine Wattewolken auf Bäumen und Sträuchern zurückblieben.

Es war kalt.

Meine Nerven, die mich die ganze Nacht wach gehalten hatten, ließen plötzlich nach, und ich fühlte, daß ich den Kopf nur noch mit Mühe aufrecht halten konnte. Einen Moment lehnte ich meinen Rücken an den Stamm der Kiefer, und sofort fielen mir die Augen zu. Ich wäre sicher eingeschlafen, da hörte ich plötzlich unten im Wald einen trockenen Zweig knacken. Ich rief Lili mit leiser Stimme:

»Hast du gehört?«

»Das war ein Hase«, sagte er.

»Hasen wagen sich nicht so weit vor.«

»Das stimmt, dann war es vielleicht ein Fuchs …«

Er spitzte noch immer seinen Stecken und fügte hinzu:

»Du bist großartig!«

Ich wollte gerade sagen, daß diese Antwort idiotisch sei, als ich unter den schwarzen Stämmen, die von der aufgehenden Sonne schwach gerötet waren, eine Erscheinung erblickte. Unter einem breiten Hut und in langem Kapuzenmantel ging der Hirt langsam vorüber; vor ihm einige Nebelgestalten von Schafen, die sich nur schwach vom Horizont abhoben. Zwischen seinen Schultern steckte der Griff eines Dolches …

Mit zitternder Hand machte ich ein paar Kreuzzeichen in seiner Richtung. Aber anstatt in Stücke zu springen, wandte das Gespenst sich zu mir, bekreuzigte sich selbst, blickte mit verächtlicher Miene zum Himmel hinauf und kam uns höhnisch lachend entgegen. Ich wollte rufen, aber die Angst schnürte mir die Kehle zu, und ich verlor die Besinnung.

Ich fühlte zwei Hände, die mich an den Schultern packten, und wollte schreien, als ich Lilis Stimme hörte.

»He! Wach auf! Du kannst doch jetzt nicht schlafen!« Er hob mich auf, denn ich war umgefallen.

Ich murmelte:

»Hast du gesehen?«

»Ja, natürlich habe ich gesehen, daß du umgefallen bist. Zum Glück ist hier so viel Thymian, du hättest dir das ganze Gesicht zerkratzen können! Bist du denn so müde?«

»Oh nein«, sagte ich, »das ist schon vorüber. Hast du nicht gesehen … das Gespenst?«

»Ich habe nichts gesehen, aber ich habe nochmal ein Knacken gehört dort oben ... Vielleicht treibt sich der alte Mond des Parpaillouns wieder hier herum. Wir müssen achtgeben, daß er uns nicht erwischt ... Schau, meine Lanze!«

Er hatte seinen Zweig abgeschält, und das Holz war glatt wie Marmor. Er ließ mich die Spitze befühlen, sie war ebenso scharf wie die meines Messers.

Einige verblassende Sterne wurden bei Sainte-Baume am Saum des Himmels sichtbar.

Er stand auf.

»Alles fertig«, sagte er. »Aber es ist noch nicht hell genug für die Eulenschlacht. Wir können noch zur Quelle von Bréguette gehen und unsere Flaschen füllen.«

Ich folgte ihm durch den taunassen Lavendel.

Die Quelle von Bréguette lag auf der linken Seite des Taoumé unterhalb eines kleinen Felsens, ein viereckiges Loch, nicht größer als ein Mauertrog, kaum zwei Fuß tief; irgendein Ziegenhirt vergangener Zeiten hatte es geduldig aus einer moosigen Felsspalte gegraben, und es war stets zur Hälfte mit klarem, eisigem Wasser gefüllt.

Lili tauchte eine leere Flasche hinein, und das Glucksen des einlaufenden Wassers gurgelte wie eine Wildtaube.

»Hierher kannst du immer kommen und trinken«, sagte er. »Die Quelle trocknet nie aus und gibt mindestens zehn Liter Wasser am Tag.«

Nun kam mir der Einfall, nach dem ich mir bereits seit Minuten den Kopf zerbrach. Beunruhigt fragte ich:

»Zehn Liter? Bist du sicher?«

»Oh ja, manchmal sogar fünfzehn.«

Mit gespielter Entrüstung rief ich:

»Machst du Spaß?«

»Keineswegs«, sagte er. »Wenn ich dir sage, fünfzehn Liter, dann kannst du es glauben.«

Darauf schrie ich ihn an:

»Und was soll ich mit fünfzehn Liter Wasser machen?«

»So viel wirst du ja wohl nicht trinken?«

»Nein, aber womit soll ich mich waschen?«

»Zum Waschen genügt eine Handvoll Wasser.«

Ich spottete:

»Für dich vielleicht. Aber ich muß mich von oben bis unten einseifen.«

»Warum denn? Bist du krank?«

»Nein, aber du mußt begreifen, ich bin aus der Stadt! Das will heißen, daß ich voller Mikroben bin. Und vor Mikroben muß man sich in acht nehmen.«

»Was ist denn das?«

»Das ist eine Art Flöhe, aber so winzig, daß du sie gar nicht siehst. Wenn ich mich nicht täglich abseife, fressen sie mich nach und nach auf, und eines Tages findest du mich tot in der Grotte und brauchst nur noch eine Schaufel zu holen, um mich einzugraben.«

Diese trostlose Aussicht bestürzte meinen lieben Lili.

»Das wäre allerdings gemein«, sagte er.

Falsch und heimtückisch warf ich ihm vor:

»Außerdem ist es deine Schuld! Wenn du mir nicht garantiert hättest, daß es in Font Bréguette so viel Wasser gibt, wie man braucht ...«

Er war ganz verzweifelt.

»Aber das wußte ich doch nicht! Ich habe ja keine Mikroben. Ich weiß noch nicht mal, wie man diese Biester bei uns nennt! Ich wasche mich nur sonntags, wie alle anderen auch. Und Baptistin sagt, selbst das sei unnatürlich und mache einen bloß krank. Der alte Mond des Parpaillouns hat sich noch nie in seinem Leben gewaschen, er ist über siebzig und du weißt, wie fidel er sein kann.«

»Komm, komm, das sind alles nur Ausreden ... ich bin eben hereingefallen, richtig hereingefallen ... das ist eine Katastrophe, aber abgesehen davon hast du es ja nicht absichtlich getan ... es ist Schicksal ... es steht in den Sternen ...«

Auf meinen Stock gestützt sagte ich feierlich:

»Leb wohl! Ich bin geschlagen! Ich gehe wieder nach Hause!«

Ich stieg zurück auf die Hochebene. Die Morgenröte färbte die fernen Felsen von Saint-Esprit blutrot.

Da Lili mir nicht folgte, blieb ich nach etwa zwanzig Metern wieder stehen, denn ich fürchtete, daß er mich im schwach dämmernden Tageslicht aus den Augen verlieren würde. Also pflanzte ich meine Lanze in den Kies, stützte mich mit beiden Händen darauf und legte in der Haltung eines besiegten Kriegers die Stirn auf meine Arme.

Der Erfolg dieses Manövers kam prompt; Lili lief auf mich zu und umarmte mich.

»Weine nicht«, sagte er, »weine nicht ...«

»Ich weinen?« spottete ich. »Nein, ich habe keine Lust, zu weinen; ich möchte viel lieber um mich schlagen! Ach, wir wollen nicht mehr davon reden ...«

»Gib mir dein Bündel«, sagte er. »Weil ich an allem schuld bin, will ich es tragen.«

»Und dein Sack?«

»Ich habe ihn da unten liegen lassen, ich hole ihn im Lauf des Tages. Aber jetzt wollen wir uns beeilen heimzukommen, ehe sie deinen Brief gefunden haben. Sicher schlafen sie noch ...«

Er ging voraus, und ich trottete ihm nach, ohne ein Wort zu sagen, aber von Zeit zu Zeit seufzte ich tief und verzweiflungsvoll.

Unser Haus sah von weitem schwarz und tot aus. Doch als wir näher kamen, fing mein Herz zu klopfen an: durch die Fensterläden vor dem Zimmer meines Vaters schimmerte Licht.

»Ich wette, daß er sich schon anzieht«, sagte ich.

»Dann hat er noch nichts gesehen. Klettere schnell hinauf.«

Er bückte sich, ich stieg auf seinen Rücken und konnte so den Strick fassen, der meine Flucht offenbaren sollte und jetzt meine Rückkehr sicherte. Dann reichte er mir mein Bündel.

Hoch über den letzten Nebeln sang plötzlich eine Lerche. Die Sonne ging über meiner Niederlage auf.

»Ich gehe nochmal hinauf, meinen Sack holen«, sagte Lili, »und komme wieder herunter.«

Mein Abschiedsbrief war noch immer an seinem Platz. Ich zog die Stecknadel heraus, zerriß den Bogen in tausend Fetzen und schnipste sie zwei oder drei Fingerspitzen voll aus dem Fenster, das ich lautlos wieder schloß.

Da hörte ich in der Stille eine mit leiser Stimme geführte Unterhaltung; sie kam aus dem Zimmer meines Vaters.

Er sprach sehr schnell und anscheinend vergnügt; es schien mir sogar, als hörte ich Lachen.

Jawohl, er lachte, daß die Ferien zu Ende waren ... Er lachte, seit er aufgewacht war, bei dem Gedanken, in seiner Schreibtischschublade seine traurigen Bleistifte, seine Tinte und seine Kreide wiederzufinden ...

Ich versteckte mein Bündel unter meinem Bett; wenn man es entdeckte, würde ich sagen, ich hätte die Pakete meiner Mutter erleichtern wollen.

Dann kroch ich beschämt und frierend ins Bett. Ich hatte Angst gehabt, war nichts als ein Feigling mit dem Herzen einer ›Squaw‹. Ich hatte meine Eltern belogen, ich hatte meinen Freund belogen, ich hatte mich selbst belogen.

Umsonst suchte ich nach einer Entschuldigung; ich fühlte, daß ich weinen würde ... darum zog ich die dicke Bettdecke über mein zitterndes Kinn und flüchtete in den Schlaf ...

Als ich aufwachte, fiel das Tageslicht durch das ›Mondloch‹ im Fensterladen, und Paul war nicht mehr in seinem Bett. Ich machte das Fenster auf – es regnete. Kein schönes, volltönendes Gewitter mit violetten Donnerwolken, sondern unabsehbarer Regen, der geduldig zahllose Tropfen in die Stille fallen ließ.

Plötzlich hörte ich Rädergerassel und sah François um die Ecke des Hauses kommen, dann das Maultier und schließlich den Karren, überdeckt von einem riesigen Regenschirm. Tante Rose, in eine Decke gehüllt, hatte bereits unter diesem Schutzdach Platz gefunden. Um sie türmte sich unser Gepäck, im linken Arm hatte sie den kleinen Vetter, im rechten die kleine Schwester. Ich vermutete, meine Mutter und Paul hatten sich geweigert, das Vehikel zu besteigen, da es bereits bis zum Brechen beladen war.

Unter einem anderen Regenschirm folgte Onkel Jules; er schob sein Rad, und so sah ich sie zu dem traurigen Heimweg aufbrechen.

Meine Familie fand ich in Gesellschaft von Lili um den Tisch versammelt. Sie frühstückten mit großem Appetit.

Mein Erscheinen wurde mit einer kleinen Beifallskundgebung begrüßt. Mein Vater sah mich mit einem sonderbaren Gesichtsausdruck an.

»Der Kummer über die letzte Nacht«, sagte er lachend, »hat dich nicht am Schlafen gehindert.«

»Wie er geschnarcht hat!« schrie Paul. »Ich habe ihn an den Haaren gezogen, um ihn aufzuwecken, aber er hat nichts gespürt.«

»Er hat sich überanstrengt«, sagte mein Vater. »Jetzt iß, es ist

131

neun Uhr, und vor ein Uhr mittags sind wir nicht zu Hause, selbst nicht mit Hilfe des Sonntags-Autobusses.«

Ich verschlang meine Butterbrote. Vor Lili schämte ich mich meines Versagens und sah nur zu ihm hinüber, wenn er es nicht bemerkte.

Da ich nicht wußte, was ich sagen sollte, fragte ich:

»Warum sind die anderen schon weggefahren?«

»Weil François noch vor zehn Uhr sein Gemüse im Gasthof Quatre Saisons abliefern muß«, antwortete meine Mutter.

»Tante Rose wartet bei Durbec auf den Omnibus.«

In unseren Kapuzenmänteln gingen wir in den Regen hinaus.

Lili, unter einem schützenden Sack, wollte uns unbedingt begleiten. Kleine Bäche rieselten in den Wagenspuren, alle Geräusche waren verstummt, wir begegneten keinem Menschen.

Unten im Dorf vor dem grünen Tor erwartete uns der Omnibus.

Tante Rose war mit den Kindern schon eingestiegen und saß mitten in einer sonntäglichen Schar von Dorfbewohnern.

Er war ein langer, grüner Wagen, und kurze Leinenmarkisen mit Fransen aus Bindfaden hingen von seinem Dach. Die beiden Pferde stampften ungeduldig, und der Kutscher, unter einem grauen Umhang und einem Wachstuchhut, blies ins Horn, um die Verspäteten zu mahnen.

Vor den Augen der Reisenden nahmen wir Abschied von Lili.

Meine Mutter küßte ihn, wobei er wieder ganz rot wurde, dann kam Paul an die Reihe. Als ich ihm männlich die Hand schüttelte, sah ich Tränen in seinen Augen, während sein Mund sich zu einer kleinen Grimasse verzog. Mein Vater kam herbei.

»Was heißt das?« sagte er. »Du wirst doch nicht weinen wie ein kleines Kind vor all den Leuten, die dich beobachten?«

Lili senkte den Kopf unter dem Sack und bohrte die Fußspitze in die Erde. Auch ich hatte große Lust zu weinen.

»Ihr müßt doch begreifen«, sagte mein Vater, »daß das Leben nicht nur zum Vergnügen da ist. Ich möchte auch gern hierbleiben und auf dem Hügel leben! Sogar in einer Höhle! Und sogar ganz allein wie ein Eremit! Aber man kann nicht immer tun, was man möchte!«

Die Anspielung auf den Eremiten befremdete mich. Aber dann verstand ich: es war ein sehr naheliegender Einfall, da ich ihn ja auch gehabt hatte. Er fuhr fort:

»Marcel hat im Juni ein sehr wichtiges Examen zu bestehen und wird dieses Jahr noch viel lernen müssen, besonders in der Orthographie. Er steht auf Kriegsfuß mit den doppelten Konsonanten, und ich wette, daß er das Wort ›Eremit‹ nicht richtig schreiben könnte.«

Ich fühlte, wie ich rot wurde, aber meine Verlegenheit dauerte nicht lange. Er konnte meinen Brief nicht gelesen haben, ich hatte ihn ja noch am selben Platz gefunden. Und hätte er ihn gelesen, dann wäre bei meiner Rückkehr darüber geredet worden! Außerdem sprach er ganz unbefangen weiter:

»Er muß also besonders fleißig sein. Wenn er vernünftig ist und gute Fortschritte macht, kommen wir zu Weihnachten wieder, an Fastnacht und an Ostern. Also weint nicht vor allen Leuten! Drückt euch die Hände wie zwei Jäger, die ihr ja seid! ... Auf Wiedersehen, kleiner Lili, vergiß nicht, daß du auch auf ein Zeugnis hinarbeiten mußt und daß ein Bauer, der etwas gelernt hat, zwei- oder dreimal soviel wert ist.«

Wahrscheinlich hätte er seine Ermahnungen noch weiter fortgesetzt, aber der Kutscher knallte zweimal energisch mit der Peitsche und stieß gebieterisch in sein Horn. Wir stiegen eilig ein. ...

Eines Mittags, als ich von einer zusätzlichen Grammatikstunde aus der Schule kam, schrie mir der kleine Paul schon vom Treppenabsatz entgegen:

»Jemand hat dir einen Brief mit der Post geschickt! Es ist eine Marke drauf!«

Ich lief hinauf und nahm zwei Stufen auf einmal, wodurch das Geländer wie eine stählerne Harfe vibrierte.

Auf dem Tisch lag neben meinem Teller ein gelber Umschlag, auf dem in ungleichmäßiger, schräg abfallender Schrift mein Name stand.

»Ich wette«, sagte mein Vater, »daß dies ein Brief von deinem Freund Lili ist.«

Vor Aufregung gelang es mir nicht, den Umschlag zu öffnen, und als ich ihn bereits an allen vier Ecken zerrissen hatte, schnitt mein Vater ihn geschickt wie ein Chirurg mit der Messerspitze auf.

Zuerst fielen ein Salbeiblatt und ein getrocknetes Veilchen heraus. Auf drei Seiten eines Schulheftes, mit ungelenker Schrift, deren wellenförmige Linien von Tintenflecken eingerahmt waren, sprach Lili zu mir:

O Kamerat!

ich greiffe zu der Feder, um dir zu sagen das di Drosseln dis Jar nicht gekommen sint. nichts aber nichts. sogar die Kreuzschnebel sint fort. wi Du. nicht zwei habe ich gefangen auch keine rebhüner. ich gehe garnicht mer hin es lont sich nicht. es hat mer wert in der Schule arbeiten um Ortogravi zu lernen was sonst? es ist nicht möglich sogar ameisen gibts keine mer. sie sint klein die Vögel wollen si nicht. das ist ein Unglück, du hast Glück nicht hir zu sein, es ist ein Malör. ich sene mich daß du kommst und di Vögel ebenso, und di rebhüner und di Drosseln für Weihnachten. Dazu haben si mir zwölf Vallen gestohlen und mindestens fünfzig Drosseln. Ich weiss wers is. di schönste Valle is di von Allo der hinkt. Fergiss es nicht damit ich es auch nicht fergesse. und außerdem ist es kalt mit mistrall. alle tage auf Jacht habe ich Füße wie Ais. zum Glück habe ich den Nasenwärmer. aber ich sehne mich nach dir. batistin ist zufriden: er fengt jeden Tag dreissig Drosseln mit Fogelleim. vorgestern zehn Fettamern und Samstag zwölf Alpendrosseln mit Vogelleim. Vorgestern war ich unter dem Tete-Rouge, ich wollte den Schtain singen hören, da habe ich mir fast di oren erfroren, er will auch nicht singen er Weint nur, das sint die Neuigkeiten. Grüsse di ganze geselschaft, ich schicke ein salbeiblatt für dich und ein feilchen für deine Mutter, dein Freund fürs Leben Lili.

meine adresse Les Bellons über Lavalantine Frankreich. ich schreibe schon drei tage an diesem Brif weil ich nur abends schreibe. meine Mutter ist zufriden. si denkt ich mache meine aufgaben. In mein Heft. Nachher reisse ich die seite heraus. der Donner hat die große Kiefer von Lagarete getroffen. Es bleibt nichts wie der Schtam und spitz wie eine Feiffe. Atschüs! ich sene mich nach dir. meine adresse: les Bellons überlavalantine. Frankreich. der Brifträger heisst Fernand, jeder kennt in er kann sich nicht irren. er kennt mich ser Gut. ich auch.

dein Freund fürs Leben Lili.

Es war nicht leicht, diesen Brief zu entziffern, dessen Schrift durch die Orthographie in keiner Weise erhellt wurde. Doch meinem Vater, dem großen Handschriftenspezialisten, gelang es nach einigem Kopfzerbrechen. Nachher sagte er:

»Gut, daß er noch drei Jahre Zeit hat, sich auf sein Abschlußzeugnis vorzubereiten.«

Dann sah er meine Mutter an und fügte hinzu:

»Dieses Kind hat Herz und echtes Zartgefühl.«

Schließlich wandte er sich an mich:

»Bewahre diesen Brief auf! Du wirst ihn erst später verstehen.«
Ich nahm ihn, faltete ihn, steckte ihn in die Tasche und antwortete nichts: lange vor ihm hatte ich ihn verstanden.

Ernest Hemingway

Katze im Regen

Im Hotel wohnten nur zwei Amerikaner. Von all den Leuten, die ihnen auf ihrem Weg in ihr Zimmer auf der Treppe begegneten, kannten sie niemanden. Ihr Zimmer war in der zweiten Etage mit dem Blick aufs Meer und auch auf die öffentlichen Anlagen und das Kriegerdenkmal. In den öffentlichen Anlagen gab es große Palmen und grüne Bänke. Bei gutem Wetter war da immer auch ein Maler mit seiner Staffelei. Maler mochten die Art, wie die Palmen wuchsen, und die leuchtenden Farben der Hotels, die den Gärten und dem Meer gegenüberlagen. Italiener kamen von weit her, um an dem Kriegerdenkmal emporzusehen. Es war aus Bronze und glänzte im Regen. Es regnete. Der Regen tropfte von den Palmen. Wasser stand in Pfützen auf den Kieswegen. Das Meer durchbrach in einer langen Linie den Regen, glitt über den Strand zurück und kam herauf, um sich wieder in einer langen Linie im Regen zu brechen. Die Autos waren von dem Platz beim Kriegerdenkmal verschwunden. Auf der Schwelle eines gegenüberliegenden Cafés stand ein Kellner und blickte über den leeren Platz.

Die junge Amerikanerin stand am Fenster und sah hinaus. Grad unter ihrem Fenster hockte eine Katze unter einem der von Regen triefenden Tische. Die Katze suchte sich so zusammenzuballen, daß es nicht auf sie tropfen konnte.

»Ich geh runter und hole das Kätzchen«, sagte die junge Amerikanerin.

»Ich werd's machen«, erbot sich ihr Mann vom Bett her.

»Nein, ich hol's. Das arme Kätzchen da draußen; was es sich anstrengt, um unter dem Tisch trocken zu bleiben.«

Ihr Mann las weiter; er lag am Fußende des Bettes auf die zwei Kopfkissen gestützt.

»Werd nicht naß«, sagte er.

Seine Frau ging hinunter, und der Hotelbesitzer stand auf und verbeugte sich, als sie am Büro vorbeikam. Sein Pult stand ganz hinten im Büro. Er war ein alter und sehr großer Mann.

»*Il piove*«, sagte die Frau. Sie mochte den Hotelbesitzer.

»*Si, si, Signora, brutto tempo*. Es ist sehr schlechtes Wetter.«

Er stand hinter seinem Pult in der Tiefe des dämmerigen Zimmers. Die Frau mochte ihn. Sie mochte die todernste Art, mit der er alle Beschwerden entgegennahm. Sie mochte seine Würde. Sie mochte die Art, wie er ihr gegenüber immer dienstbereit war. Sie mochte, wie er sich als Hotelbesitzer fühlte. Sie mochte sein altes, schweres Gesicht und seine großen Hände.

Sie mochte ihn, machte die Tür auf und sah hinaus. Es regnete stärker. Ein Mann in einem Gummicape überquerte den leeren Platz zum Café. Rechts um die Ecke mußte die Katze sein. Vielleicht konnte sie unter der Dachtraufe trocken bis dahin gelangen. Während sie auf der Schwelle stand, öffnete sich hinter ihr ein Regenschirm. Es war das Mädchen, das ihr Zimmer aufräumte.

»Sie sollen nicht naß werden«, sagte sie lächelnd auf italienisch. Natürlich hatte sie der Hotelbesitzer geschickt.

Das Mädchen hielt den Schirm über sie, während sie auf dem Kiesweg unter ihr Fenster ging. Der Tisch stand da, vom Regen hellgrün gewaschen, aber die Katze war fort. Sie war plötzlich enttäuscht. Das Mädchen sah fragend zu ihr auf.

»*Ha perduto qualque cosa, Signora?*«

»Da war eine Katze«, sagte die junge Amerikanerin.

»Eine Katze?«

»*Si, il gatto.*«

»Eine Katze?« lachte das Mädchen. »Eine Katze im Regen?«
»Ja«, sagte sie, »unterm Tisch«, und dann: »Ach, ich wollte sie
so gern haben. Ich wollte so gern ein Kätzchen haben.«
Als sie englisch sprach, nahm das Gesicht des Zimmermäd-
chens einen verschlossenen Ausdruck an.
»Kommen Sie, Signora«, sagte sie, »wir müssen wieder hinein,
Sie werden sonst naß.«
»Vermutlich«, sagte die junge Amerikanerin. Sie gingen den
Kiesweg zurück und überschritten die Schwelle. Das Mädchen
blieb draußen, um den Schirm zuzumachen. Als die junge
Amerikanerin an dem Büro vorbeiging, verbeugte sich der Pa-
drone hinter seinem Pult. Sie fühlte sich innerlich irgendwie
sehr klein und wie zugeschnürt. Beim Anblick des Padrone
fühlte sie sich sehr klein und gleichzeitig wirklich wichtig. Ei-
nen Augenblick hatte sie ein Gefühl von höchster Wichtigkeit.
Sie ging weiter, die Treppe hinauf. Sie öffnete die Zimmertür.
George lag lesend auf dem Bett.
»Hast du die Katze?« fragte er und legte das Buch hin.
»Sie war weg.«
»Wo sie wohl hin sein mag?« sagte er, während er seine Augen
vom Lesen ausruhte.
Sie setzte sich aufs Bett.
»Ich wollte sie so furchtbar gern haben«, sagte sie. »Ich weiß
eigentlich gar nicht, warum ich sie so gern haben wollte. Ich
wollte das arme Kätzchen haben. Es ist kein Spaß, ein armes
Kätzchen draußen im Regen zu sein.«
George las wieder.
Sie ging hinüber, setzte sich vor den Spiegel ihres Toiletten-
tischs und besah sich in ihrem Handspiegel. Sie besah sich prü-
fend ihr Profil, erst eine Seite, dann die andere. Dann betrachtete sie ihren Hinterkopf und ihren Nacken.
»Was meinst du, wäre es nicht eine gute Idee, wenn ich meine

Haare wachsen ließe?« fragte sie und besah sich nochmals ihr Profil.

George blickte auf und sah ihren Nacken, der wie bei einem Jungen ausrasiert war.

»Ich mag es so, wie es ist.«

»Ach, ich hab's so über«, sagte sie. »Ich hab's so über, wie ein Junge auszusehen.«

George veränderte seine Lage auf dem Bett. Er hatte, seitdem sie redete, nicht von ihr weggesehen.

»Du siehst ganz verteufelt hübsch aus«, sagte er.

Sie legte den Spiegel auf den Toilettentisch, ging zum Fenster hinüber und sah hinaus. Es wurde dunkel.

»Ich möchte meine Haare ganz straff und glatt nach hinten ziehen und hinten einen schweren Knoten machen, den ich wirklich fühlen kann«, sagte sie. »Und ich möchte ein Kätzchen haben, das auf meinem Schoß sitzt und schnurrt, wenn ich es streichle.«

»Wahrhaftig?« sagte George vom Bett her.

»Und ich will an meinem eigenen Tisch mit meinem eigenen Besteck essen, und ich will Kerzen. Und ich will, daß es Frühling ist, und ich will mein Haar vor dem Spiegel richtig bürsten können, und ich will ein Kätzchen haben, und ich will ein paar neue Kleider haben.«

»Nun hör schon auf, und nimm dir was zu lesen«, sagte George. Er las wieder. Seine Frau sah aus dem Fenster. Draußen war es jetzt ganz dunkel, und es regnete immer noch in den Palmen.

»Auf jeden Fall will ich eine Katze haben«, sagte sie. »Ich will eine Katze haben. Ich will sofort eine Katze haben. Wenn ich keine langen Haare oder sonst ein bißchen Spaß haben kann, eine Katze kann ich haben.«

George hörte nicht zu. Er las sein Buch. Seine Frau sah aus dem

Fenster auf den Platz, wo die Laternen jetzt angezündet waren.

Jemand klopfte an die Tür.

»*Avanti*«, sagte George. Er sah von seinem Buch auf.

In der Tür stand das Zimmermädchen. Sie hielt eine große, schildpattfarbene Katze eng an sich gepreßt, die an ihrem Körper herunterhing.

»Verzeihung«, sagte sie. »Der Padrone sagte, ich soll dies der Signora bringen.«

Cees Nooteboom
Stuhl

Die Maschine von Seoul nach Tokio hat vier Stunden Verspä
tung, die Art von Zeit, die dann beginnt, läßt sich nicht genau
umschreiben. Am breiten Gehsteig vor dem Flughafen halter
Busse und Taxis und fahren wieder los. Weiter draußen Ab
bruchgelände, Kräne, Beton, die ungeordnete Landschaft, die
in manchen Ländern zu Flughäfen gehört. In der Ferne sehe
ich etwas Grünes, aber es kostet Mühe, dorthin zu gelangen
Überall arbeiten gelb behelmte Männer an Trossen und Ka
beln, die in eine unterirdische Welt führen, ich muß durch
mehrere frisch ausgehobene Laufgräben, vorbei an Betonbrü
stungen, dann bin ich da. Es ist ein kleiner Hügel, das letzte
Überbleibsel dessen, was vielleicht einmal ein Park war. Ich
steige hinauf durch das wilde, nicht mehr gemähte Gras, kleine
silbrige Insekten fliegen vor mir her.
Von allen Seiten der Lärm von Planierraupen und schweren
Lastwagen, Kriegsmusik des Fortschritts. Herabgewehte Zwei
ge, gestern zog ein Taifun dicht an Korea vorbei. Etwas weiter
ein paar fernöstliche Nadelbäume, wie auf chinesischen und ja
panischen Zeichnungen, Tusche mit Wasser, alles leicht ver
wischt, laviert, fast der Strauch selbst, aber nie ganz. Dann sehe
ich ihn plötzlich, wie eine Offenbarung, deren Sinn ich noch
nicht zu erfassen vermag: Unter ein paar Kiefern steht ein un
geheuer blauer Plastikstuhl, ein Schrei in einem leeren Raum.
Als drohe Gefahr, so vorsichtig gehe ich auf ihn zu. Die Zweige
über dem Stuhl bilden einen Schirm, der auf einer Seite infolge
von Schiefwuchs bis zum Boden reicht. Wer den Stuhl hier hin
gestellt hat, wußte, was er tat. Jemand muß ihn regelmäßig be
nutzen, um ihn herum liegen ein paar Kippen als Botschaft:

Dies ist nicht dein Stuhl. Ich weiß es. Ich bin der Eindringling. Jetzt sehe ich, daß sehr dünne silberne und goldene Fäden mit einer winzigen Schleife um die Baumstämme gebunden sind, magische Botschaften an den Geist der Bäume. Derjenige, der zu dem Stuhl gehört, hat sein Fahrrad an einem der Stämme angeschlossen. Ich bleibe einen Moment ganz still stehen, dann setze ich mich. Von hier aus muß dieser andere jeden Tag sehen, was ich sehe, einen trockenen Boden voller Nadeln und kleiner Kiefernzapfen, ein abgesägtes Holzstück, etwas verdorrtes Gras. Eine Grille dreht ihre Gebetsmühle, leise, als schäme sie sich oder wundere sich selbst über die Einsamkeit dieses Geräuschs. Mehr gibt es nicht, einen leichten Wind, ein wenig Blättergeraschel, eine Elster mit blau leuchtenden Bahnen in den Schwingen wie die Fahne eines unbekannten Landes. Etwas weiter weg, dort, von wo ich gekommen bin, das Getöse und die Bewegung der Welt. Flugzeuge, Bagger, die ranzige Architektur eines Flughafens. Jetzt spüre ich, wie sich der Augenblick dehnt, vielleicht sitze ich hier schon hundert Jahre, ein Mann auf einem blauen Thron unter einem Baldachin aus Kiefernzweigen, ein Plastikkönig ohne Untertanen.

Erst nach Ablauf dieses Jahrhunderts danke ich ab, langsam und feierlich gehe ich durch den sterbenden Park den Hügel hinunter. Ich gehe nicht, ich schreite. An der Grenze drehe ich mich noch einmal um für den Abschied. Er steht da sehr still, der blauste Stuhl der ganzen Welt. Das Geheimnis mancher Freundschaften läßt sich anderen nicht vermitteln.

Isaac Bashevis Singer
Die Prozeßparteien

Man unterhielt sich über Prozesse, und die alte Genendl, eine entfernte Verwandte von uns, eine, wie es heißt, im Kleingedruckten bewanderte Frau, sagte: »Es gibt Leute, die gerichtliche Streitereien lieben. Selbst unter uns Juden gibt es welche, die bei jeder Gelegenheit zum Rabbi laufen und ein Urteil nach dem Recht des Talmud verlangen. In vergangenen Zeiten waren die polnischen Gutsbesitzer ganz verrückt auf Duelle und Prozesse. Nicht weit von unserer Stadt lebten zwei Gutsbesitzer, Zbigniew Piorun und Adam Lech, kleine Gutsbesitzer, nicht solche wie die Radziwills oder die Zamoyskis. Piorun besaß ein paar hundert Leibeigene. Das war vor der Bauernbefreiung. Ihm gehörten Felder, Wälder und ein Stall mit Rennpferden. In seinen jüngeren Jahren war er Reiter und Jäger gewesen und hatte alle Pferderennen besucht. Damals gab es noch den Sejm in Warschau, und Piorun war bei allen Sitzungen anwesend. In der polnischen Verfassung gab es eine Klausel, die besagte: Wenn die Adligen ein bestimmtes Gesetz oder eine Steuer durchbringen wollten, genügte es, wenn nur ein Delegierter sein Veto einlegte, das ganze Projekt war dann zum Scheitern verurteilt. Das war das Vetum separatum. So konnten sie nie zu einer Entscheidung kommen. Aufgrund dieser unmöglichen Situation wurde Polen schließlich in Stücke gerissen. Piorun war fast immer unter denen, die das Veto benutzten. Er liebte es, lange Reden zu halten und jedes Programm, das jemand vorschlug, herunterzumachen. Zu Hause forderte er alle paar Wochen jemanden zum Duell. Er hatte einen Hofjuden, Reb Getz, der das ganze Gut verwaltete und, unter anderem, auch für das Melken der Kühe verantwortlich war. Piorun hatte den

Ehrgeiz, Reb Getz zu beweisen, daß Jesus der wahre Messias gewesen sei. Als Piorun einmal eine Debatte mit Reb Getz angefangen hatte, die bis zum Abend dauerte, sagte Reb Getz: ›Exzellenz, wer immer der Messias ist oder sein wird, er wird nicht Eure Kühe melken.‹

Piorun und seine Frau hatten Söhne und Töchter. Sie waren alle gutaussehend und hatten in die Hocharistokratie geheiratet. Jedes Jahr gab er einen Ball, und aus ganz Polen kamen dazu Angehörige der besten Gesellschaft. Der andere Gutsbesitzer, Adam Lech, war klein und schwarz wie ein Zigeuner, er hatte weder Frau noch Kinder. Er war der Besitzer eines kleinen Gutes mit ein paar hundert Leibeigenen. Er hatte keinen Hofjuden. Er verwaltete alles selbst. Er war ein zorniger Mann, und wenn ein Bauer etwas tat, das ihm mißfiel, prügelte er ihn mit eigener Hand. Zwischen Zbigniew Piorun und Adam Lech bestand eine lange Feindschaft. Ihre Güter grenzten aneinander, und seit vielen Jahren stritten sie wegen eines Stückes Land, das Lech als seinen Besitz betrachtete. Piorun hatte es in seinen Grund eingeschlossen und umzäunt. Der Streit kam vor Gericht, und wie alle Prozesse in Polen schleppte er sich über Jahre hinweg. Ein Richter fällte ein Urteil, ein anderer fällte ein anderes. Jeder Antrag erforderte teure Stempelmarken. Alle Schreiber mußten mit Geld oder Geschenken bestochen werden. Piorun konnte sich dies alles leisten, aber Lech nicht. Wie heißt es? ›Ehe der Dicke mager wird, stirbt der Magere.‹ Benachbarte Gutsbesitzer versuchten zu vermitteln. Beide Seiten blieben hartnäckig. Mit der Zeit verlor Lech alles. Sein Haar wurde vor der Zeit weiß. Vor lauter Kummer, vielleicht auch vom Trinken, wurde er so mager, als ob er die Schwindsucht hätte. Nach und nach verkaufte er all seine Felder, seine Wälder und sogar seine Leibeigenen. Man erwartete täglich seinen Tod, aber irgendeine Macht hielt ihn am Leben.

Adam Lech soll gesagt haben, er werde diese Welt nicht verlassen, ehe die Gerichte ihm nicht wiedergegeben hätten, was Piorun gestohlen habe, denn die Wahrheit müsse hervorkommen wie Öl auf dem Wasser.

Eines Tages erhielten beide Gutsbesitzer aus Warschau die Mitteilung, daß sie an einem bestimmten Tag vor dem höchsten Gericht zu erscheinen hätten, wo sie das endgültige Urteil erhalten würden. Piorun war die ganze Sache gleichgültig geworden. Seine Frau war gestorben, die Kinder nicht mehr bei ihm. Er konnte sich gar nicht mehr an Einzelheiten des Streites erinnern, aber da der Sejm in Warschau zusammentreten würde, hatte Piorun den Wunsch, noch einmal sein Veto einzulegen. Er hatte einen alten Wagen und einen alten Kutscher mit Namen Wojciech. Pioruns alte Haushälterin gab dem Gutsbesitzer Reiseproviant mit, und auch ein paar Flaschen Wodka. Sie waren erst eine kurze Strecke gefahren, als der Wagen plötzlich hielt. ›He, Wojciech, warum hast du angehalten?‹ fragte Piorun, und Wojciech sagte: ›Adam Lech steht mitten auf der Straße und läßt mich nicht vorbei.‹ – ›Was? Lech, der alte Leichnam!‹ sagte Piorun. Er verstand sofort, warum. Lech hatte oftmals gedroht, Piorun wie einen tollen Hund zu erschießen, und jetzt würde er es tun. ›Es ist gut, daß ich meine Pistole nicht vergessen habe‹, sagte Piorun. Die Sonne war untergegangen, und im Dämmerlicht begann Piorun mit seiner rostigen Pistole zu schießen. Er sah kaum, wohin er zielte. Seine Hand zitterte. Wojciech stieg vom Kutschersitz herunter und fing an zu schreien: ›Exzellenz, Adam Lech hat keine Waffe. Er winkt mit leeren Händen.‹

›Keine Waffe, was ist denn das für ein Duell?‹ rief Piorun. Ich will die Geschichte nicht in die Länge ziehen. Lech hatte ebenfalls die Aufforderung bekommen, in Warschau zu erscheinen, aber er hatte weder Wagen noch Pferde, so daß er nach langem

Überlegen sich entschlossen hatte, seinen langjährigen Feind zu bitten, ihn nach Warschau mitzunehmen.

Ihr lacht, was?« fragte Genendl. »Und so geschah es. Was macht ein Gutsbesitzer, der zu einer Gerichtsverhandlung aufgerufen wird und weder Pferd noch Wagen besitzt? Lech kam zu Pioruns Wagen und begann, sich zu verneigen und Kratzfüße zu machen, zu stottern und Piorun zu bitten, ihm den Gefallen zu tun, ihn nach Warschau mitzunehmen.

Als Piorun diese Worte hörte und seinen Erzfeind gebeugt, runzlig und wie ein Skelett zusammengeschrumpft sah, in einen alten Mantel gekleidet, mit einem Sack über der Schulter wie ein Bettler, da vergaß er alle ihre Streitereien. Er fing an, zu lachen und zu weinen, und sagte: ›Mein lieber Nachbar, mein Freund, warum seid Ihr denn nicht gleich zu mir gekommen? Ich hätte Euch ja um ein Haar erschossen. Gewiß, wir waren einmal Feinde, aber wir sind Polen, Brüder einer Nation, und ich werde Euch nicht zu Fuß nach Warschau gehen lassen. Kommt, mein lieber Herr, steigt ein.‹ Die beiden Gutsbesitzer umfaßten einander, küßten und umarmten sich wie alte Freunde. Piorun holte eine Flasche Wodka heraus, und sie tranken gegenseitig auf ihre Gesundheit, brachten Trinksprüche auf den Erfolg des jeweils anderen in dem Prozeß aus. Dann sagte Piorun: ›Was will ich denn mit Eurem Stück Land? Wem soll ich es hinterlassen? Meine Erben sind reicher als ich. Alles, was man in unserem Alter braucht, ist ein Grab.‹ Lech sprach in gleichem Ton. ›Der ganze Krieg zwischen uns war ein Fehler, eine Laune, ein dummer Ehrgeiz‹, sagte er. ›Vielleicht war es der Teufel, der immer hinter den Kindern Gottes lauert und ihren Geist verwirrt, der uns verderbt hat. Exzellenz, wozu brauche ich das Land? Ich habe ja nicht einmal jemanden, der sich um meine Blumentöpfe kümmert.‹

Beide Gutsbesitzer reisten gemeinsam nach Warschau, sprachen von alten Zeiten, machten sich über die polnischen Gerichte lustig, über ihre Anwälte, ihre Ankläger, die falschen Zeugen, die beide Prozeßparteien angestiftet hatten, und die Sprache des Gerichts, die in einem Latein geschrieben wurde, das niemand verstehen konnte. Lech sagte: ›Mein Freund, ich glaube nicht mehr daran, daß die Warschauer Schmarotzer und Vampire ein endgültiges Urteil fällen werden. Kein Kläger in Polen hat jemals lang genug gelebt, um das Ende eines Prozesses zu erleben. Das Ende kommt für die Prozeßparteien, nicht für die Prozesse.‹

Adam Lech hatte recht. In Warschau erfuhren die Prozeßgegner, daß das Gericht noch weit davon entfernt war, ein endgültiges Urteil zu fällen. Es wurde ihnen auferlegt, nochmals Landvermesser zu beauftragen, das Land zu vermessen, das in all den Jahren mit Unkraut überwuchert war und von Schlangen, Feldmäusen und allen Arten von Ungeziefer wimmelte. Diese Vermessungen würden einen Haufen Geld kosten. Sie sollten mit anderen Vermessungen in Archiven verglichen werden, von denen nur Gott wußte, ob sie noch existierten. Sowohl Piorun wie Lech beschimpften die Gerichtsbeamten und nannten sie Diebe, Tellerlecker, Ratten und Aasgeier. Dann gingen sie in ein Wirtshaus, um etwas zu trinken.

In den Korridoren des Sejm wurde viel über diese ungewöhnliche Vereinbarung geredet, und als beide Gutsbesitzer zur Sitzung in den Sejm kamen, wurde ihnen von allen Bänken Beifall zuteil. Um den Friedensschluß zu bekräftigen, legte Piorun bei dieser Gelegenheit kein Veto ein. Zum erstenmal in seinem Leben stimmte er mit allen anderen Gesetzgebern überein, als Zeichen, daß die Polen von nun an wie ein vereintes Volk handeln würden.

Zu spät! Nicht lange danach teilten die Könige von Österreich, Rußland und Preußen Polen unter sich auf. Piorun und Lech starben und wurden nicht weit voneinander beerdigt. Und noch viele Jahre später erzählten sich die Gutsbesitzer in ganz Polen die Geschichte von den befreundeten Prozeßgegnern.«

Eine kleine Reise

Elizabeth von Arnim

In Italien konnte nichts schlimm sein

Es war bewölkt in Italien, was sie überraschte. Sie hatten mit dem schönsten Sonnenschein gerechnet. Aber das machte nichts: es war Italien, und schon die Wolken sahen üppig aus. Keine der beiden Damen war je dort gewesen. Sie blickten mit verzückter Miene aus den Fenstern. Die Stunden flogen dahin, solange es hell war, und danach hielt sie die Aufgeregtheit munter, immer näher und näher zu kommen, ganz nah zu sein und schließlich anzukommen. In Genua hatte es angefangen zu regnen – Genua: wenn man sich das vorstellte, man war tatsächlich in Genua, sah das Stationsschild mit dem Namen, wie irgendeinen x-beliebigen Namen! –, in Nervi goß es, und als sie endlich gegen Mitternacht, denn der Zug war wieder verspätet, *Mezzago* erreichten, strömte es nur so vom Himmel. Aber es war Italien. In Italien konnte nichts schlimm sein. Selbst der Regen war dort anders: ein schnurgerader Regen, der, wie es sich gehörte, von oben auf die Schirme fiel; nicht dieses ungebärdig daherwehende englische Zeugs, das einen überall erwischte. Und er würde ganz bestimmt aufhören; und wenn das geschah, gäbe es den Anblick der rosenbestreuten Erde.

Mr. Briggs, der Eigentümer von San Salvatore, hatte gesagt: »Sie steigen in Mezzago aus und lassen sich dann kutschieren.« Aber er hatte etwas vergessen, was ihm wohlvertraut sein mußte, nämlich daß die Züge in Italien manchmal verspätet sind, und so hatte er sich vorgestellt, seine Mieterinnen träfen um acht in Mezzago ein und fänden eine Reihe Droschken vor, aus denen sie wählen konnten.

Der Zug kam mit vier Stunden Verspätung an, und als Mrs.

Arbuthnot und Mrs. Wilkins die leiterähnlich hohen Trittstufen ihres Eisenbahnabteils hinunterkletterten in die schwarze Regenflut hinaus, wobei ihre Rocksäume große Lachen rußigen Nasses wegfegten, da sie die Hände voll mit Gepäck hatten, hätten sie nichts Fahrbares entdeckt, wäre da nicht die Umsicht Domenicos gewesen, des Gärtners von San Salvatore. Die normalen Droschken waren längst alle heimgefahren. Domenico, der dies voraussah, hatte die Droschke seiner Tante geschickt, die von ihrem Sohn, seinem Cousin, gefahren wurde; die Tante samt Droschke wohnte in Castagneto, dem Dorf, das hingeduckt zu Füßen von San Salvatore lag, und darum würde es die Droschke, wie spät der Zug auch käme, nicht wagen, ohne die Fracht heimzukehren, die sie abholen sollte.

Domenicos Cousin hieß Beppo, und unmittelbar aus dem Dunkel tauchte er bei Mrs. Arbuthnot und Mrs. Wilkins auf, die unschlüssig dastanden, ratlos, was sie nach der Abfahrt des Zuges machen sollten, denn sie konnten keinen Gepäckträger entdecken und hatten den Eindruck, nicht so sehr auf einem Bahnsteig zu stehen als vielmehr auf dem Bahnkörper selbst.

Beppo, der nach ihnen Ausschau gehalten hatte, tauchte mit einem Satz aus dem Dunkel auf und redete wortgewaltig in Italienisch auf sie ein. Beppo war ein sehr anständiger junger Mann, doch sah er nicht danach aus, vor allem nicht im Dunklen, und er hatte die Krempe seines triefend nassen Huts schief über ein Auge gezogen. Ihnen gefiel nicht die Art, wie er sich ihrer Koffer bemächtigte. Ihrer Meinung nach konnte das kein Gepäckträger sein. Bald schon aber erkannten sie in seinem Wortschwall den Namen San Salvatore, worauf sie ihm diesen ständig wiederholten, da es das einzige Italienisch war, das sie konnten, während sie hinter ihm hereilten, um ihr Gepäck nicht aus den Augen zu verlieren, und über Gleise und durch

Pfützen dorthin stolperten, wo auf einer Straße eine kleine, hohe Droschke stand.

Ihr Verdeck war zurückgelegt, und das Pferd schien in Gedanken versunken. Sie kletterten in die Droschke, und im selben Augenblick, wo sie drinnen waren – für Mrs. Wilkins traf das nicht ganz zu –, wachte das Pferd mit einem Ruck aus seiner Träumerei auf und begann sogleich heimwärts zu traben; ohne Beppo; ohne das Gepäck.

Beppo stürzte hinter ihm her, durchdrang mit seinen Rufen die Nacht und erwischte rechtzeitig noch die herunterhängenden Zügel. Er erklärte stolz und, wie er meinte, in aller Deutlichkeit, das tue das Pferd immer, es sei ein edles Tier, voller Gerste und voller Lebenskraft und gehegt und gepflegt von ihm, Beppo, als wär es sein eigener Sohn, und die Damen brauchten keine Angst zu haben, er habe nämlich bemerkt, daß sie sich aneinanderklammerten; doch wie deutlich, laut und wortstark er auch sprach, sie blickten ihn nur schreckensbleich an.

Dennoch redete er weiter, während er die Koffer um sie herum verstaute, überzeugt davon, daß sie ihn früher oder später verstehen *mußten*, besonders, da er sich bemühte, sehr laut zu sprechen und alles, was er sagte, mit den einfachsten erklärenden Gesten zu veranschaulichen, aber beide blickten ihn nur groß an. Die Gesichter der Reisenden waren, wie er mitfühlend bemerkte, weiß und müde, und beide hatten große müde Augen. Schöne Damen, dachte er, und ihre Augen, die ihn über die Koffer hinweg ansahen und jede seiner Bewegungen beobachteten – es gab keine großen Koffer, nur eine Anzahl von kleineren Gepäckstücken –, waren wie die Augen der Muttergottes. Das einzige, was die Damen selbst nach dem Losfahren sagten und in regelmäßigen Abständen wiederholten, wobei sie ihn auf dem Kutschbock leicht antippten, um seine Aufmerksamkeit zu erlangen, war: »San Salvatore?«

Und jedesmal antwortete er lautstark und in ermunterndem Ton: »*Si, si*, San Salvatore.«

»Wir *wissen* natürlich nicht, ob er uns dorthin bringt«, sagte Mrs. Arbuthnot schließlich mit leiser Stimme, nachdem sie, wie es ihnen schien, bereits eine ganze Weile gefahren waren und die Pflastersteine der in Schlaf gehüllten Stadt verlassen hatten und sich auf einer kurvigen Straße befanden mit einer, wie sie erspähen konnten, niedrigen Mauer zu ihrer Linken, wohinter eine große schwarze Leere war und das Rauschen des Meeres. Zu ihrer Rechten drängte sich etwas dicht heran, steil aufragend und finster: Felsen, flüsterten sie einander zu; riesige Felsen.

»Nein, *wissen* tun wir das nicht«, stimmte ihr Mrs. Wilkins zu, wobei ihr ein leichter Schauder den Rücken hinunterlief.

Sie fühlten sich sehr unbehaglich. Es war so spät. Es war so dunkel. Die Straße so einsam. Angenommen, ein Rad ginge ab. Angenommen, sie begegneten Faschisten oder dem Gegenteil von Faschisten. Wie bedauerten sie es jetzt, daß sie nicht in Genua übernachtet hatten und erst am nächsten Morgen bei Tageslicht losgefahren waren.

»Aber das wäre der erste April gewesen«, sagte Mrs. Wilkins mit leiser Stimme.

»Der ist jetzt auch«, flüsterte Mrs. Arbuthnot.

»Stimmt«, murmelte Mrs. Wilkins.

Sie verstummten.

Beppo drehte sich auf seinem Kutschbock um – eine beunruhigende Angewohnheit, die sie schon bemerkt hatten, denn sein Pferd durfte doch gewiß nicht aus den Augen gelassen werden – und richtete wieder das Wort an sie, überzeugt, daß er sich größter Klarheit befleißigte, kein *Patois* gebrauchte und alles mit überdeutlichen Gesten erklärte.

Wie sehr wünschten sie sich, ihre Mütter hätten sie als Kinder Italienisch lernen lassen. Könnten sie jetzt doch nur sagen: »Bitte bleiben Sie so sitzen, daß Sie das Pferd im Auge behalten.« Sie wußten nicht einmal, was Pferd auf italienisch heißt. Solche Unkenntnis war schmählich.

In ihrer Angst – denn die Straße wand sich um mächtig aufragende Felsen, und linker Hand gab es bloß die niedrige Mauer, um sie vor dem Sturz ins Meer zu bewahren, falls etwas passieren sollte – begannen auch sie zu gestikulieren, fuchtelten mit den Händen in Beppos Richtung, nach vorn. Sie wollten, daß er sich wieder zum Pferd umdrehte; mehr nicht. Er glaubte, sie wünschten, daß er schneller kutschierte; und so folgten zehn Schreckensminuten, in denen er ihnen, zumindest glaubte er das, eine Freude bereitete. Er war stolz auf sein Pferd, es konnte sehr rasch laufen. Er erhob sich von seinem Sitz, die Peitsche knallte, das Pferd jagte dahin, die Felsen sprangen auf sie zu, die kleine Droschke schaukelte, die Gepäckstücke rappelten, Mrs. Arbuthnot und Mrs. Wilkins klammerten sich aneinander. Auf diese Weise ging es weiter, schaukelnd, rüttelnd, klappernd, sich klammernd, bis zu einer Stelle kurz vor Castagneto, wo die Straße anstieg und das Pferd, das jeden Meter Weges kannte, plötzlich am Fuße dieser Anhöhe stehenblieb, wobei alles, was sich in der Droschke befand, wild durcheinandergeschüttelt wurde, und dann ganz gemächlich weiter trottete.

Beppo drehte sich um, ihre Bewunderung entgegenzunehmen, lachend, voller Stolz auf sein Pferd.

Von den schönen Damen ihrerseits kam kein Lachen. Ihre Augen, auf ihn gerichtet, wirkten größer denn je, und ihre Gesichter sahen gegen das Schwarz der Nacht milchig aus.

Immerhin gäbe es, wenn sie oben auf der Anhöhe wären, Häuser. Die Felsen verschwanden, und Häuser tauchten auf; die niedrige Mauer verschwand, weitere Häuser; das Meer wich zurück, und sein Rauschen hörte auf, und die Einsamkeit der

Straße war zu Ende. Nirgendwo Licht und natürlich niemand, der sie vorbeifahren sah; und dennoch stand Beppo, als die ersten Häuser vorbei waren, und nachdem er über seine Schulter geblickt und den Damen »Castagneto« zugerufen hatte, erneut auf, knallte mit der Peitsche und ließ sein Pferd von neuem vorwärtsstürmen.

›Wir werden gleich da sein‹, sagte sich Mrs. Arbuthnot und klammerte sich fest.

›Wir werden bald ankommen‹, sagte sich Mrs. Wilkins und klammerte sich fest. Laut sagten sie nichts, denn bei diesem Peitschengeknall und Radgeklapper und all den anfeuernden Schnalzlauten, die Beppo zum Pferd hin machte, hätte man ohnehin nichts verstehen können.

Eifrig strengten sie die Augen an, um irgendwelche Anzeichen von San Salvatore zu erkennen.

Sie hatten geglaubt und gehofft, daß in angemessener Distanz vom Dorf ein mittelalterlicher Torbogen vor ihnen aufragen würde, durch den hindurch sie in einen Garten hineinführen, um vor einer offenen, einladenden Tür anzuhalten, aus der Licht herausflutete, und das Personal, das laut Inserat dortgeblieben war, sie erwartete.

Statt dessen blieb die Droschke plötzlich stehen.

Beim Hinausspähen konnten sie sehen, daß sie sich immer noch auf der Dorfstraße befanden, mit dunklen kleinen Häusern zu beiden Seiten; und Beppo, der dem Pferd die Zügel über den Hals warf, als sei er diesmal ganz zuversichtlich, es werde sich nicht von der Stelle rühren, stieg vom Kutscherbock. Im selben Augenblick erschienen gleichsam aus dem Nichts herausspringend ein Mann und einige halbwüchsige Jungen zu beiden Seiten der Droschke und begannen die Gepäckstücke herauszuhieven.

»Nein, nein, San Salvatore, San Salvatore«, rief Mrs. Wilkins aus und versuchte dabei, möglichst viel Gepäck festzuhalten.

»*Si, si*, San Salvatore, San Salvatore«, schrien alle, während sie am Gepäck zogen.

»Das hier *kann* nicht San Salvatore sein«, sagte Mrs. Wilkins und wandte sich an Mrs. Arbuthnot, die reglos dasaß und zuschaute, wie das Gepäck ihr entwendet wurde, mit derselben Geduld, die sie kleineren Übeln gegenüber zeigte. Sie wußte, sie konnte nichts tun, sollten diese Männer üble Gesellen sein, darauf aus, ihr Gepäck zu kriegen.

»Macht mir auch nicht den Eindruck«, räumte sie ein und konnte sich einen Moment lang nicht der Verwunderung enthalten über die Wege des Herrn. Waren sie wirklich hierher gebracht worden, sie und die arme Mrs. Wilkins, nach all der Anstrengung, das Ganze in die Wege zu leiten, nach all den Schwierigkeiten und Sorgen, den gewundenen Pfaden von Lug und Trug, nur um …?

Sie gebot ihren Gedanken Einhalt und sagte voll Sanftmut zu Mrs. Wilkins, während die zerlumpten Jungen mit dem Gepäck in der Nacht verschwanden und der Mann mit der Laterne Beppo half, ihr die Reisedecke zu entziehen, sie beide seien in Gottes Hand; und als Mrs. Wilkins das hörte, hatte sie zum ersten Mal Angst.

Es blieb ihnen nichts anderes übrig, als auszusteigen. Zwecklos, weiter in der Droschke sitzenzubleiben und immer nur San Salvatore zu rufen. Jedesmal, wenn sie das taten, und ihre Stimmen wurden von Mal zu Mal schwächer, antworteten Beppo und der andere Mann bloß mit lautem Geschrei. Hätten sie doch nur als Kinder Italienisch gelernt. Hätten sie doch nur sagen können: »Fahren Sie uns doch bitte bis vor die Tür.« Aber sie wußten nicht einmal, was Tür auf italienisch heißt. Solche Unkenntnis war nicht nur schmählich, sie war, wie sie jetzt sahen, geradezu gefährlich. Zwecklos, jetzt darüber zu lamentieren. Zwecklos auch, hinauszuzögern, was ihnen gleich bevorstand, indem sie weiter in der Droschke sitzenblieben. Und so stiegen sie aus.

Die beiden Männer öffneten Schirme für sie und überreichten sie ihnen. Das gab ihnen ein wenig Mut, denn sie konnten nicht glauben, daß diese Männer, sollten es üble Gesellen sein, sich damit abgeben würden, Schirme für sie zu öffnen. Dann machte ihnen der Mann heftig brabbelnd mit der Laterne Zeichen, ihm zu folgen, und Beppo blieb, wie sie sahen, zurück. Sollten sie ihm etwas zahlen? Nein, entschieden sie, wo sie sowieso gleich beraubt, vielleicht sogar ermordet würden. Bestimmt zahlte man in einer solchen Situation nichts. Außerdem hatte er sie schließlich nicht nach San Salvatore gebracht. Offensichtlich waren sie woanders gelandet. Auch äußerte er nicht das geringste Verlangen, bezahlt zu werden; er ließ sie, ohne irgendwelchen Protest, in die Nacht entschwinden. Dies war, so mußten sie glauben, ein böses Omen. Er wollte nichts haben, weil er gleich reichlich belohnt würde.

Sie kamen zu einigen Stufen. Die Straße endete abrupt bei einer Kirche und Stufen, die hinunterführten. Der Mann senkte die Laterne für sie, damit sie die Stufen sahen.

»San Salvatore?« fragte Mrs. Wilkins erneut, ganz zaghaft, bevor sie sich an die Stufen wagte. Zwecklos natürlich, das jetzt zu erwähnen, aber sie konnte Treppen nicht wortlos hinuntersteigen. Kein mittelalterliches Castello, dessen war sie sich sicher, war je am Fuße einer Treppe erbaut worden.

Wieder ertönte echogleich der Ruf: »*Si, si*, San Salvatore.«

Sie stiegen vorsichtig hinunter, die Röcke hebend, als brauchten sie die noch für eine andere Gelegenheit und hätten nicht aller Wahrscheinlichkeit nach ein für allemal mit Flitter und Tand abgeschlossen.

Die Stufen endeten an einem steil abfallenden Weg mit flachen Steinplatten in der Mitte. Sie rutschten und glitschten viel auf diesen nassen Platten, und der Mann mit der Laterne hielt sie, laut brabbelnd, fest. Die Art, wie er sie festhielt, war höflich.

»Vielleicht«, sagte Mrs. Wilkins mit leiser Stimme zu Mrs. Arbuthnot, »ist doch alles in Ordnung.«

»Wir sind in Gottes Hand«, sagte Mrs. Arbuthnot wieder; und wieder spürte Mrs. Wilkins Angst.

Sie kamen zum Ende des Hangs, und das Licht der Laterne zuckte über einen offenen Platz, der an drei Seiten von Häusern umgeben war. Die vierte Seite war das Meer, das in trägem Hin und Her die Kiesel umspülte.

»San Salvatore«, sagte der Mann und wies mit seiner Laterne auf eine schwarze Masse hin, die sich an die Bucht drängte.

Sie strengten die Augen an. Sie sahen die schwarze Masse und ganz oben ein Licht.

»San Salvatore?« wiederholten beide ungläubig, denn wo war das Gepäck, und warum hatte man sie gezwungen, aus der Droschke zu steigen?

»*Si, si*, San Salvatore.«

Sie gingen eine Art Kai entlang, unmittelbar am Wasser. Hier gab es nicht einmal eine niedrige Mauer – nichts, was den Mann mit der Laterne daran hindern konnte, sie ins Meer zu stoßen, falls er das vorhatte. Was er aber nicht tat. Vielleicht ist ja doch alles in Ordnung, deutete Mrs. Wilkins, als sie das merkte, gegenüber Mrs. Arbuthnot an, die diesmal selbst zu glauben begann, daß es möglich sei, und nichts mehr von Gottes Hand sagte.

Das zuckende Licht der Laterne tanzte vor ihnen her, reflektiert vom nassen Pflaster des Kais. Weiter draußen zur Linken, im Dunkel und offensichtlich am Ende einer Mole, blinkte ein rotes Licht. Sie kamen zu einem Torbogen mit schön geschmiedetem Eisengitter. Der Mann mit der Laterne stieß das Tor auf. Diesmal stiegen sie Stufen hinauf statt hinab, und oben angelangt, trafen sie auf einen Pfad, der sich zwischen Blumen hinaufschlängelte. Sie konnten die Blumen nicht sehen, aber es war offenkundig, daß es hier voll von ihnen war.

Da wurde es Mrs. Wilkins klar, daß womöglich der Grund, weshalb die Droschke sie nicht bis vor die Tür gefahren hatte, der war: es gab keine Straße, nur den Fußweg. Das würde auch das Verschwinden des Gepäcks erklären. Zuversicht regte sich in ihr, daß ihr Gepäck auf sie warten würde, wenn sie oben ankamen. San Salvatore schien sich auf einer Hügelkuppe zu befinden, so wie es sich für ein mittelalterliches Castello ziemte. Bei einer Wegbiegung erblickten sie über sich, viel näher jetzt und leuchtender, das Licht, das sie vom Kai aus bemerkt hatten. Sie erzählte Mrs. Arbuthnot von ihrer Vermutung, und Mrs. Arbuthnot meinte zustimmend, höchstwahrscheinlich liege sie da richtig.

Noch einmal, diesmal aber in optimistischem Ton, fragte Mrs. Wilkins, wobei sie nach oben zu der schwarzen Silhouette zeigte, die sich gegen den kaum weniger schwarzen Himmel abhob: »San Salvatore?« Und noch einmal, nun aber beruhigend, ermunternd, ertönte die Bestätigung: »*Si, si*, San Salvatore.«

Sie gingen über eine kleine Brücke, die anscheinend über eine Schlucht führte, und danach folgte ein flaches Stück mit hohem Gras an den Seiten und weiteren Blumen. Sie spürten, wie die nassen Gräser ihre Strümpfe streiften, und die unsichtbaren Blumen waren überall. Dann wieder im Zickzack einen Weg zwischen Bäumen hinauf, begleitet vom Duft der Blumen, die sie nicht sehen konnten. Der warme Regen entlockte ihnen ihre ganze Süße. Höher und höher stiegen sie in dieser süßen Dunkelheit, und das rote Licht auf der Mole unter ihnen blieb immer weiter zurück.

Der Weg zog sich in Windungen bis zur anderen Seite dessen, was eine kleine Halbinsel zu sein schien; die Mole und das rote Licht verschwanden; jenseits der Leere zu ihrer Linken sah man ferne Lichter.

»*Mezzago*«, sagte der Mann und wies mit seiner Laterne zu den Lichtern.

»*Si, si*«, antworteten sie, denn inzwischen hatten sie *si, si* gelernt. Worauf der Mann ihnen in einer wahren Flut von galanten Worten, so kam es ihnen vor, zu ihrem herrlichen Italienisch gratulierte; denn dies hier war Domenico, der umsichtige und so tüchtige Gärtner von San Salvatore, die unentbehrliche Stütze des Haushalts, der erfindungsreiche, der begabte, der redegewandte, der höfliche, der intelligente Domenico. Nur wußten sie das noch nicht; und er sah im Dunkeln, gelegentlich auch im Hellen, mit seinen scharfgeschnittenen, dunklen Gesichtszügen und seinen katzengleichen Bewegungen wahrlich wie ein übler Geselle aus.

Sie gingen noch ein Stück flachen Weges, wobei zu ihrer Rechten ein schwarzes Gebilde wie eine hohe Mauer über ihnen aufragte, und dann führte der Weg unter Spalieren wieder aufwärts; und herunterhängende Zweige mit etwas Duftendem daran schnappten nach ihnen und schüttelten Regentropfen auf sie, und der Schein der Laterne tanzte über Lilien, und dann folgte eine Flucht alter Stufen, ausgetreten in Jahrhunderten, und ein weiteres eisernes Tor, und dann waren sie drinnen, wenngleich sie noch eine steinerne Wendeltreppe hochsteigen mußten, mit alten Mauern zu beiden Seiten, wie die Mauern eines Verlieses, und einem gewölbten Dach.

Oben war eine schmiedeeiserne Pforte, und durch sie flutete elektrisches Licht.

»*Ecco*«, sagte Domenico, der geschmeidig im Eilschritt die letzten Stufen vor ihnen nahm und die Pforte aufstieß.

Und damit waren sie angekommen; und es war San Salvatore; und ihr Gepäck erwartete sie, und sie waren nicht ermordet worden.

Ernst schauten sie einander in die bleichen Gesichter, die blinzelnden Augen.

Es war ein großer, ein wundervoller Augenblick. Hier waren sie, endlich, in ihrem mittelalterlichen Castello. Ihre Füße berührten seine Steine.

Mrs. Wilkins legte den Arm um Mrs. Arbuthnots Hals und küßte sie.

»Das erste, was in diesem Haus geschieht«, sagte sie sanft und feierlich, »soll ein Kuß sein.«

»Liebe Lotty«, sagte Mrs. Arbuthnot.

»Liebe Rose«, sagte Mrs. Wilkins mit freudestrahlenden Augen.

Domenico war entzückt. Er mochte den Anblick schöner Damen, die sich küßten. Er hielt ihnen schwungvoll eine Willkommensrede, und sie standen Arm in Arm da, einander stützend, denn sie waren sehr müde und blinzelten ihn lächelnd an, ohne ein Wort zu verstehen.

Max Frisch
Auf Akrokorinth

Vor vierundzwanzig Stunden (es kam mir wie eine Jugenderin-
nerung vor!) saßen wir noch auf Akrokorinth, Sabeth und ich,
um den Sonnenaufgang zu erwarten. Ich werde es nie vergessen! Wir sind von Patras gekommen und in Korinth ausgestie-
gen, um die sieben Säulen eines Tempels zu besichtigen, dann
Abendessen in einem Guest-House in der Nähe. Sonst ist Korinth ja ein Hühnerdorf. Als sich herausstellte, daß es keine
Zimmer gibt, dämmert es bereits; Sabeth fand es eine Glanzidee von mir, einfach weiterzuwandern in die Nacht hinaus
und unter einem Feigenbaum zu schlafen. Eigentlich habe ich's
als Spaß gemeint, aber da Sabeth es eine Glanzidee findet, ziehen wir wirklich los, um einen Feigenbaum zu finden, einfach
querfeldein. Dann das Gebell von Hirtenhunden, Alarm rings-
um, die Herden in der Nacht; es müssen ziemliche Bestien sein,
nach ihrem Gekläff zu schließen, und in der Höhe, wohin sie
uns treiben, gibt es keine Feigenbäume mehr, nur Disteln, dazu
Wind. Von Schlafen keine Rede! Ich habe ja nicht gedacht, daß
die Nacht in Griechenland so kalt sein würde, eine Nacht im
Juni, geradezu naß. Und dazu keine Ahnung, wohin er uns führen wird, ein Saumpfad zwischen Felsen hinauf, steinig, stau-
big, daher im Mondlicht weiß wie Gips. Sabeth findet: Wie
Schnee! Wir einigen uns: Wie Joghurt! Dazu die schwarzen Felsen über uns: Wie Kohle! finde ich, aber Sabeth findet wieder
irgend etwas anderes, und so unterhalten wir uns auf dem Weg,
der immer höher führt. Das Wiehern eines Esels in der Nacht:
Wie der erste Versuch auf einem Cello! findet Sabeth, ich finde:
Wie eine ungeschmierte Bremse! Sonst Totenstille; die Hunde
sind endlich verstummt, seit sie unsere Schritte nicht mehr hö-

ren. Die weißen Hütten von Korinth: Wie wenn man eine Dose mit Würfelzucker ausgeleert hat! Ich finde etwas anderes, bloß um unser Spiel weiterzumachen. Eine letzte schwarze Zypresse. Wie ein Ausrufezeichen! findet Sabeth, ich bestreite es; Ausrufzeichen haben ihre Spitze nicht oben, sondern unten. Wir sind die ganze Nacht gewandert. Ohne einen Menschen zu treffen. Einmal erschreckt uns Gebimmel einer Ziege, dann wieder Stille über schwarzen Hängen, die nach Pfefferminz duften, Stille mit Herzklopfen und Durst, nichts als Wind in trockenen Gräsern: Wie wenn man Seide reißt! findet Sabeth, ich muß mich besinnen, und oft fällt mir überhaupt nichts ein, dann ist das ein Punkt für Sabeth, laut Spielregel. Sabeth weiß fast immer etwas. Türme und Zinnen einer mittelalterlichen Bastion: Wie Kulissen in der Opéra! Wir gehen durch Tore und Tore, nirgends ein Geräusch von Wasser, wir hören das Echo unsrer Schritte an den türkischen Mauern, sonst Totenstille, sobald wir stehen. Unsere Mondschatten: Wie Scherenschnitte! findet Sabeth. Wir spielen stets auf einundzwanzig Punkte, wie beim Pingpong, dann ein neues Spiel, bis wir plötzlich, noch mitten in der Nacht, oben auf dem Berg sind. Unser Komet ist nicht mehr zu sehen. In der Ferne das Meer: Wie Zinkblech! finde ich, während Sabeth findet, es sei kalt, aber trotzdem eine Glanzidee, einmal nicht im Hotel zu übernachten. Es ist ihre erste Nacht im Freien gewesen. Sabeth in meinem Arm, während wir auf den Sonnenaufgang warten, schlottert. Vor Sonnenaufgang ist es ja am kältesten. Dann rauchen wir zusammen noch unsere letzte Zigarette; vom kommenden Tag, der für Sabeth die Heimkehr bedeuten sollte, haben wir kein Wort gesprochen. Gegen fünf Uhr das erste Dämmerlicht: Wie Porzellan! Von Minute zu Minute wird es heller, das Meer und der Himmel, nicht die Erde; man sieht, wo Athen liegen muß, die schwarzen Inseln in hellen Buchten, es scheiden sich Wasser und Land, ein paar kleine Morgenwolken darüber: Wie Quasten mit Rosa-Puder: findet Sabeth, ich finde nichts und verliere wieder einen Punkt. 19:9 für Sabeth! Die Luft um diese Stunde: Wie Herbstzeitlosen! Ich finde: Wie Cellophan mit nichts dahinter. Dann erkennt man bereits die Brandung an den Küsten: Wie Bierschaum! Sabeth findet: Wie eine Rüsche!! Ich nehme meinen Bierschaum zurück, ich finde: Wie Glaswolle! Aber Sabeth weiß nicht, was Glaswolle ist – und dann die ersten Strahlen aus dem Meer: Wie eine Garbe, wie Speere, wie Sprünge in einem Glas, wie eine Monstranz, wie Fotos von Elektronen-Beschießungen. Für jede Runde zählt aber nur ein einziger Punkt; es erübrigt sich, ein halbes Dutzend von Vergleichen anzumelden, kurz darauf ist die Sonne schon aufgegangen, blendend: Wie der erste Anstich in einem Hochofen! finde ich, während Sabeth schweigt und ihrerseits einen Punkt verliert … Ich werde nie vergessen, wie sie auf diesem Felsen sitzt, ihre Augen geschlossen, wie sie schweigt und sich von der Sonne bescheinen läßt. Sie sei glücklich, sagt sie, und ich werde nie vergessen: das Meer, das zusehends dunkler wird, blauer, violett, das Meer von Korinth und das andere, das attische Meer, die rote Farbe der Äcker, die Oliven, grünspanig, ihre langen Morgenschatten auf der roten Erde, die erste Wärme und Sabeth, die mich umarmt, als habe ich ihr alles geschenkt, das Meer und die Sonne und alles, und ich werde nie vergessen, wie Sabeth singt!

Lily Brett

Das Auto

Im Sommer, als ich nach Monaten zum erstenmal wieder in Shelter Island war, gab mein Auto auf dem Supermarkt-Parkplatz den Geist auf.

Shelter Island ist ein ruhiger Flecken, zwei Stunden Fahrzeit von Manhattan entfernt. Jedes Jahr verbringe ich einen Teil des Sommers dort. Der Puls der Insel spiegelt sich im Polizeibericht, der einmal wöchentlich im *Shelter Island Reporter* veröffentlicht wird.

Letzte Woche meldete der Polizeibericht drei verschiedene Unfälle, bei denen ein Wildtier von einem Automobil angefahren worden war. Und es wurde berichtet, daß jemand sich über Hundegebell beschwert hatte und daß ein Arbeiter der Telefongesellschaft von einem Truthahn angefallen worden war. »Der Besitzer des Aggressors konnte den Vogel einfangen. Schadenersatz wurde nicht geltend gemacht«, schloß der Bericht.

Daß mein Auto den Geist aufgab, ärgerte mich maßlos. Ich hatte mich auf Ruhe und Einsamkeit gefreut. Immer wieder drehte ich den Zündschlüssel in der Hoffnung, den Wagen doch noch zu starten. Der Motor gab keinen Mucks von sich. Meine Bemühungen waren aussichtslos.

Ich mag mein Auto nur, wenn es funktioniert. Jedes wärmere Gefühl, das ich einmal für diesen Wagen empfunden haben mag, hat sich rapide abgekühlt, seit er begonnen hat auseinanderzufallen.

Es ist ein Lincoln Continental, Baujahr 1986. Er soll viele Dinge können. Er soll einem die Außentemperatur und die Fahrtrichtung mitteilen können.

Aber die Temperatur, die die Elektronik des Wagens meldet,

paßt nie zum Wetter. Und der Orientierungssinn dieses Autos ist mehr als fragwürdig.

Ich bin schon im Kreis gefahren, bis mir schwindlig wurde, um zu sehen, ob der Wagen angeben konnte, daß wir nach Süden oder Südwesten fuhren. Er konnte es nicht.

Als er auf dem Supermarkt-Parkplatz den Geist aufgab, war ich erbost. Das war der letzte Tropfen.

Ich starrte das Auto zornig an. Nichts geschah. Ein Auto einzuschüchtern ist ähnlich schwer, wie die eigenen erwachsenen Kinder einzuschüchtern. Ich stieg aus und trat gegen einen der Reifen. Es brachte mir keine Erleichterung.

Ich versuchte mich zu beruhigen. Mich daran zu erinnern, daß ich hergekommen war, um Ruhe zu finden. Um gewöhnliche Dinge zu tun. Zum Beispiel einen Automechaniker anzurufen und auf ihn zu warten.

»Wagen defekt?« fragte ein Mann, der an mir vorbeikam. Ich nickte finster. »Ich glaube, die Batterie ist leer«, sagte ich. Er ging zu seinem Wagen, um ein Starthilfekabel zu holen.

Als er fünf Minuten später wiederkam, hatten mittlerweile drei Leute angeboten, einen Automechaniker für mich zu holen. Aber das Starthilfekabel genügte. Der Wagen sprang an.

Ich fuhr rückwärts aus meiner Parklücke. Ich hatte gerade genug Zeit, ein Gefühl des Triumphs zu empfinden, bevor der Wagen stehenblieb. Ich befand mich noch immer auf dem Parkplatz. Ich stieg aus.

Die allgemeine Meinung auf dem Parkplatz war die, daß ich eine neue Batterie benötigte. Die Stimmung rings um mein streikendes Auto war munter und ausgelassen.

Ich merkte, daß es mir Spaß machte. Alle waren so fröhlich und so hilfsbereit. Auf diesem Supermarkt-Parkplatz herrschte eine bessere Stimmung als bei den meisten Essenseinladungen.

Eine Stunde nachdem mein Auto zum erstenmal den Geist aufgegeben hatte, besaß ich einige neue Freunde.

Schließlich bekamen wir den Wagen wieder in Gang. Ich fuhr in die Werkstatt. Unterwegs blieb er drei weitere Male stehen.

Jedesmal hielten Leute neben mir an und boten ihre Hilfe an. Alle waren hilfsbereit. Männer und Frauen beugten sich über den Motor.

Als die neue Batterie eingebaut war, war es später Nachmittag. Ich war nicht am Strand gewesen, wo ich zu sitzen pflege und wachsamen Auges nach Kriebelmücken und Stechmücken Ausschau halte, weil ich Insektenstiche nicht vertrage.

Ich hatte nicht im Teich geschwommen und dabei versucht, nicht an die bissige Schildkröte zu denken, die dort lebt. Ich hatte den schönsten Tag seit Jahren auf dem Land verbracht.

Elke Heidenreich
Erika

Ich hatte das ganze Jahr hindurch gearbeitet wie eine Verrückte und fühlte mich kurz vor Weihnachten völlig leer, aus-
gebrannt und zerschlagen. Es war ein schreckliches Jahr gewesen, obwohl ich sehr viel Geld verdient hatte. Es war, als hätte
ich zu leben vergessen. Ich hatte meine Freunde kaum gesehen und war nicht in Urlaub gefahren, meine Mahlzeiten hatte
ich irgendwo zwischen Tür und Angel im Stehen eingenom-
men – Gyros und Krautsalat, ein Stück Pizza, ein paar Tortil-
las und dazu zwei, drei Margaritas –, oder ich hatte zu Hause
ein paar Rühreier aus der Pfanne gegessen, vor dem Fernseher,
und an vielen Tagen hatte ich auch gar nichts gegessen und
nur Wein, Kaffee und Gin getrunken und war wie ein Stück
Blei ins Bett gefallen, ohne die Post zu öffnen oder den Anruf-
beantworter abzuhören, traumlos, leblos. Ich hätte gar nicht
soviel arbeiten müssen, aber ich stürzte mich in jede neue Auf-
gabe, um nur ja nicht nachdenken zu müssen über Vaters Tod,
über meine Scheidung, über die Krankheit, die sich in mir
festfraß und mir unmißverständliche Signale gab, daß ich dieses Tempo nicht mehr lange würde durchhalten können. Ein
paar Tage vor Weihnachten – ich war gerade nach Hause gekommen und hatte mich vor Erschöpfung nach einem Sech-
zehn-Stunden-Tag einfach in Mantel und Stiefeln der Länge
nach auf den Teppich gelegt und nur noch ganz flach geat-
met – klingelte das Telefon. Normalerweise hebe ich nie ab.
Ich lasse den Apparat laufen und höre mit, wer anruft, und
meist schüttelt es mich dann vor Entsetzen, wem ich da beinahe durch einen Griff zum Hörer in die Falle gegangen wäre.
Aber an diesem Abend nahm ich sofort ab, ohne nachzuden-

ken, es war ein Reflex. Das Telefon stand neben mir auf dem Fußboden, und beim ersten Ton griff ich danach wie nach einem allerletzten Lebenszeichen von da draußen. »Ja!« sagte ich, und ich hätte auch genauso tonlos »Hilfe!« sagen können.

Es war Franz, und er rief mich aus Lugano an. Franz und ich hatten vor Jahren mal eine Weile zusammengelebt, uns dann aber einigermaßen friedlich getrennt und beide geheiratet. Inzwischen waren wir auch beide wieder geschieden, und er lebte in Lugano und ich in Berlin. Die Stadt saugt den letzten Tropfen Lebensblut aus mir, hält mich fest und läßt mich nicht atmen und nicht gehen und zersetzt mich mit ihrer Aggressivität wie Rost ein altersschwaches Auto. Berlin lockt mich an jeder Ecke zum Saufen, zum Morden, zum Selbstmord.

Franz arbeitete in Lugano bei einem Architekten, und ab und zu schrieben wir uns alberne Karten. Manchmal traf ich seine Mutter, die so gern gesehen hätte, daß wir zusammengeblieben wären und die in Berlin langsam vermoderte, wie so viele alte Leute. Sie erzählte mir dann ein bißchen von ihm, aber Mütter wissen ja nichts von ihren Kindern, und ich erfuhr nur, daß es Franz gutgehe, und er verdiene viel, sie sei allerdings noch nie in Lugano gewesen.

»Hallo, Betty«, sagte Franz am Telefon. Er ist der einzige, der mich Betty nennt. Ich heiße Elisabeth, aber das sagt nur meine Mutter zu mir. Mein Vater nannte mich Lisa, in der Schule hieß ich Elli, und mein Mann hatte Lili zu mir gesagt. Manchmal weiß ich selbst nicht mehr, wie ich eigentlich heiße und nenne mich bei meinem zweiten Namen: Veronika. Nur für Franz war ich Betty gewesen, und ich holte tief Luft, streifte mir die Stiefel von den Füßen und sagte: »Ach, Franz.«

»Hört sich nicht gut an, ach, Franz«, sagte er. »Ist was los?«

»Ich glaube, ich bin tot«, sagte ich. »Kneif mich mal.«

»Dazu müßtest du etwas näher kommen«, sagte Franz, »und das ist es, weshalb ich anrufe.«

Ich machte die Augen zu und dachte an die komische Dachwohnung, in der wir zusammen gewohnt hatten. Franz hatte Bühnenbilder in verkleinertem Maßstab gebaut, und im Szenenbild von »Don Giovanni« hatten unsere beiden Hamster Kain und Abel gewohnt. Sie waren auf den kleinen Balkönchen erschienen und hatten sich geputzt, und vom Tonband spielten wir dazu Donna Annas Arie aus dem Ende des zweiten Aktes, »or sai chi l'onore rapire a me volse«, und zu der Zeit haben wir furchtbar viel getrunken. Wir arbeiteten auch – er an seinen Bühnenbildern, ich für meine Zeitung, aber wir tranken Gin und Weißwein und Tequila in solchen Mengen, daß ich heute nicht mehr weiß, wie wir überhaupt morgens aus dem Bett kamen, wer all die leeren Flaschen wegbrachte und wann wir eigentlich die Katze versorgten. Einer der beiden Hamster wurde später in dem dicken Lesesessel totgedrückt – er war zwischen Sitzpolster und Lehne gekrochen –, und wir fanden ihn erst, als er zu riechen begann und brauchten – es war bei einem Frühstück – an dem Tag den ersten Gin schon morgens, obwohl im Grunde so eine letzte Regel galt: Wein ab 16 Uhr, Gin ab 20 Uhr und Tequila erst nach zehn. Was soll's, lange her.

»Warum kommst du nicht über Weihnachten zu mir nach Lugano?« fragte Franz.

»Warum sollte ich«, sagte ich und freute mich irrsinnig, aber ich ließ meine Stimme ganz unten. »Kannst du ohne mich auf einmal nicht mehr leben?«

»Ich kann wunderbar leben ohne dich«, sagte Franz, »und was glaubst du, wie ich das genießen werde, wenn du nach Neujahr wieder abfährst.«

Ich war noch nie in Lugano gewesen. »Wie ist Lugano«, fragte ich, »gräßlich?«

»Grauenhaft«, sagte Franz. »Alte Häuser mit Palmen davor und mit Glyzinien bewachsen, die so ekelhaft lila blühen, überall Oleander mit diesem scheußlichen Duft und ein gräßlicher See inmitten scheußlicher Berge. Und sie trinken hier diesen widerwärtigen Fendant, bei dem man schon nach vier Flaschen betrunken ist. Überleg's dir.« – »Versprichst du mir, daß wir uns die ganze Zeit streiten?« fragte ich, und Franz sagte: »Ehrenwort. Und du darfst auch keinem Menschen erzählen, daß du zu mir fährst, ich könnte dich dann unauffällig erwürgen und in den See schmeißen, gut, was?«

»Fabelhaft«, sagte ich, »aber du vergißt, daß ich schon tot bin. Ich glaube nicht, daß ich es noch bis Lugano schaffe, ich schaff's ja nicht mal mehr bis in die Küche, Franz.«

»Du fliegst«, sagte Franz, »bis Mailand, und dann fährst du eine Stunde mit dem Zug nach Lugano, und ich hol dich ab.«

»Hol mich nicht ab«, sagte ich, »vielleicht hab ich ja Glück und das Flugzeug fällt runter, und dann wartest du umsonst.«

»Gute Idee«, sagte Franz, »ich könnte auch bei Chiasso einen Baumstamm quer über die Schienen legen, dann würde dein Zug entgleisen, was hältst du davon?«

»Großartig«, sagte ich und fing plötzlich an zu weinen, und Franz fragte trocken: »Freitod als willkommene Unterbrechung der Langeweile?« – »Nein«, sagte ich, »der Erschöpfung, ich möchte vor Erschöpfung aus dem Fenster fallen.«

Ich dachte an unsere Katze, die eines Tages vom Dach gefallen war, einfach so, und wir hatten gedacht, das würde nie passieren. Sie war gewöhnt daran, über die Dächer zu gehen, und von unserm kleinen Balkon aus sah ich sie oft in der Sonne sitzen und sich putzen, hoch neben dem Schornstein, vor der Fernsehantenne, auf der die dicken Tauben gurrten. Eines Tages war sie gerutscht, ins Strudeln gekommen, hatte sich vor Verwirrung nicht mehr halten können und an allen Vorsprüngen und Balkons vorbei einen geraden Sturz in die Tiefe gemacht, fünf Stockwerke, und ich sah sie bewegungslos unten liegen und war unfähig, ihr nachzulaufen.

Schließlich war Franz die Treppen runtergerannt und lange nicht wiedergekommen. Wir haben nie mehr über die Katze gesprochen, und in dem Jahr lebten wir uns auseinander, wie man wohl so sagt. Wir konnten einfach über nichts mehr ernsthaft reden, wir waren zynisch und ironisch und unehrlich miteinander, und wir litten beide darunter, aber ändern ließ es sich auch nicht mehr.

»Du wirst mich gar nicht mehr erkennen, wenn ich komme«, sagte ich. »Ich bin ganz alt geworden und schlohweiß und potthäßlich.« Ich zog die Nase tüchtig hoch, stand auf und warf mich in einen Sessel, um Haltung anzunehmen. »Du warst immer schon potthäßlich«, antwortete Franz, »ich wollte es dir nur nie sagen. Ich bin übrigens strahlend schön wie immer.«

»Gut«, sagte ich, »das seh ich mir an, ich komm Heiligabend, falls da was fliegt.« Ich hatte das Gefühl, er freute sich wirklich und ich wäre irgendwie gerettet.

Ich schloß die Augen und blieb vielleicht noch eine halbe oder eine volle Stunde im Sessel liegen. Ich hörte die Geräusche im Haus, zuklappende Türen, eine Männerstimme, schnelle Schritte, und von der Straße klang Berlins böses Brummen hoch, ein brodelnder Dauerton wie kurz vor der Explosion eines Kessels, und ich stellte mir Lugano vor wie eine kleine Oase mit roten Dächern in einer Schneekugel.

Am 24. warf ich am frühen Morgen ein paar Pullover und Jeans, meine Brille, meinen Muff, ein bißchen Wäsche, Waschzeug, meine Ballerinas, ein paar feste Schuhe, das alte schwarze Seidenkleid mit dem verblaßten Rosenmuster, ein paar Bücher und meinen Reisewecker in eine Tasche und ging noch mal kurz ins KaDeWe, um elsässischen Senf für Franz zu kaufen. Es gibt dort eine Abteilung mit achtzig oder hundert verschiedenen Sorten Senf, in Gläsern und Tuben und Tontöpfen, scharf und süß und süßsauer, cremig und körnig, hellgelb bis dunkelbraun, und die ganze Perversität des Westens, die ganze unerträgliche Angeberei dieser aufgeblähten, maroden, verlogenen Stadt Berlin fließt für mich zusammen in der Unglaublichkeit dieser Senfabteilung – die Welt steht in Flammen, es ist Krieg, Menschen verhungern und schlachten sich ab, Millionen sind auf der Flucht und haben kein Zuhause, Kinder sterben auf den Straßen, und Berlin wählt unter hundert Sorten Senf, denn nichts ist schlimmer als der falsche Senf auf dem gepflegten Abendbrottisch. Aber ich hätte auch das noch geschafft, ich wäre mit dem Fahrstuhl hochgefahren und hätte für Franz, den Zyniker, Franz, den trostlosen Intellektuellen, Franz, den Spötter mit den tiefen Falten rechts und links der Nase, ich hätte für Franz, mit dem ich so verzweifelte Nächte und so verlogene Tage verbracht habe, den grobkörnigen, dunkelgelben, süßscharfen elsässischen Senf im Tontopf mit Korkverschluß gekauft, wenn ich nicht im Parterre das Schwein gesehen hätte. Erika.

Es sah aus wie ein Mensch, und ich weiß nicht, wieso ich auf »Erika« kam, aber es war wirklich mein erster Gedanke. Das Schwein sah aus wie eine Person, die Erika hieß und aussah wie ein Schwein. Erika war fast lebensgroß, fast so groß wie ein ausgewachsenes Schwein. Sie war aus hellrosa Plüschfell, hatte vier stramme, dunkelrosa Beine, einen dicken Kopf mit leicht geöffneter Schweineschnauze, weichen Ohren und etwa markstückgroßen himmelblauen Glasaugen mit einem unbeschreiblichen Ausdruck – vertrauensvoll, gutmütig, neugierig und mit einer Art gelassener Pfiffigkeit –, die zu sagen schienen: was soll all die Aufregung, nimm es, wie es kommt, sieh mich an, ich bin nur ein rosa Plüschschwein mitten im KaDeWe, aber ich bin ganz sicher, daß das Leben einen wenn auch verborgenen Sinn hat.

Ich zahlte ohne zu zögern 678,– per Kreditkarte für Erika. Meine Reisetasche mußte ich mir über die Schulter hängen, für Erika brauchte ich beide Hände. Sie war erstaunlich leicht, aber enorm dick und samtweich, und sie ließ sich nur tragen, indem ich sie vor meinen Bauch preßte. Ich umschlang sie mit beiden Armen. Sie legte die Vorderpfoten auf meine Schultern und die Hinterbeine rechts und links auf meine Hüften. Ihr Kopf blickte mit den blauen Augen über meine linke Schulter, und die Verkäuferin sagte: »Noch einmal streicheln!« Sie fuhr mit der Hand zwischen die aprikosenfarbenen Ohren, sanft und zärtlich, und dann blieb sie zwischen Teddies, Giraffen und Stoffkatzen zurück, und Erika und ich verließen das Kaufhaus. Die Menschen bildeten eine Gasse und ließen uns durch. Es waren die letzten Stunden vor Ladenschluß, vor Weihnachten, und alle waren gehetzt, erschöpft, entnervt von den Vorbereitungen und voller Angst vor all den Familienkrisen, die für die nächsten Tage in der Luft lagen. Aber wer Erika ansah, mußte lächeln. Ein Penner, der im Eingang stand und sich im abgestandenen Kaufhauswind wärmte, streckte verstohlen eine Hand aus und zog Erika am Hinterbein.

Ich trat auf die Straße und sah mich nach einem Taxi um. »Mein Gott, wie schön, da wird sich das Kind aber freuen!« sagte eine alte Frau und legte ehrfürchtig eine Hand auf Erikas großen weichen Kopf, und ich dachte daran, daß das Kind, auf dessen Gabentisch dieses Schwein landen würde, Franz hieß und achtunddreißig Jahre alt war. Der Taxifahrer sagte kopfschüttelnd: »Für wattie Leute allet Jeld ausjehm« und starrte Erika mißtrauisch von der Seite an. Ich hatte sie neben ihn auf den Vordersitz geklemmt. Ihre dicken Pfoten lagen auf dem Armaturenbrett, und sie schaute mit ihren blauen Augen in den Berliner Straßenverkehr, der keine Logik und keine Rücksicht erkennen ließ, das war ein Kampf ums Erstersein. Ich saß mit meiner Reisetasche hinten und fühlte, wie mir Erikas breiter Nacken Ruhe und Sicherheit einflößte.

Wenn das Taxi an Ampeln oder im Stau halten mußte, grinsten die Fahrer aus den Nachbarautos zu uns herüber, sie lachten, sie hupten, sie winkten, sie warfen Kußhändchen. Kinder preßten ihre Hände und Nasen an beschlagene Scheiben und wußten, daß das Weihnachtsfest für sie gelaufen war, wenn nicht so ein Schwein unter dem Baum wäre. Die Sache machte nun sogar dem Taxifahrer Spaß.

»Ja, kiekt nur«, knurrte er, »Schweinetransport«, und er genoß das Aufsehen, das er mit seinem Beifahrer erregte. »Watt kostenn sowatt?« fragte er mich, als ich zahlte und ausstieg, und ich log: »Weiß ich nicht, hab ich zu Weihnachten gekriegt«, weil ich mich schämte, ihm den Preis zu nennen.

Normalerweise wäre meine Reisetasche als Bordgepäck durchgegangen, aber ich durfte nicht beides mitnehmen – Erika und die Tasche –, also gab ich die Tasche auf. Erika paßte in keines der übervollen, schmalen Gepäckfächer, und zum erstenmal wurden wir getrennt. Die Stewardess setzte Erika auf einen freien Platz in der ersten Klasse, schnallte sie an und versicherte mir: »Da geht es ihm gut.« – »Ihr«, sagte ich, »sie heißt Erika.« Die Stewardess sah mich nett und leer an und ging rasch weg, und mir fehlte Erikas weiches Fell, ihr sanfter Blick, und ich geriet fast in Panik, als zum Start der Vorhang zur ersten Klasse zugezogen wurde und ich sie nicht mehr sah. Ich schloß die Augen und dachte an meinen ersten Kinderheimaufenthalt. Nach Borkum war ich geschickt worden, meiner kranken Lungen wegen. Ich war neun Jahre alt, stand am Zugfenster und weinte, und das letzte, was ich von meiner Mutter hörte, war: »Stell dich nicht so an, die anderen Kinder heulen auch nicht.« Ja, Mutter, weil immer nur die Kinder weinen, die nicht liebgehabt werden und tief im Herzen spüren, wie sehr die Mütter aufatmen, wenn sie sie wenigstens für vier Wochen mal abschieben können. Ich weinte, weil ich mir nicht mal sicher war, ob sie bei meiner Rückkehr überhaupt noch dasein würde oder ob sie sich in der Zwischenzeit heimlich und für immer aus dem Staub machte. Mein Vater hatte mir einen Teddy mit honiggelbem Pelz und braunen Glasaugen geschenkt. Er hieß Fritz und ich preßte ihn an mein Gesicht und ließ Rotz und Tränen in sein Fell laufen, wie ich es jetzt gern mit Erika gemacht hätte, aber Erika flog erster Klasse. Mir fiel ein, daß ich mich nicht mal von meiner Mutter verabschiedet hatte, ihr auch nicht frohe Weihnachten gewünscht hatte, aber vielleicht würde sie das ja auch gar nicht merken, und außerdem konnte ich sie aus Lugano immer noch anrufen.

In Frankfurt nahm ich Erika wieder in Empfang und preßte sie fest an mich, als ich für den Flug nach Mailand durch die Auslandshalle gehen mußte. Auf den Lederbänken, den Chromstühlen, auf Koffern, auf dem Fußboden, überall saßen und lagen müde Menschen, die auf ihren Weiterflug warteten – Inder mit Turban, verschleierte Frauen, Schwarze in bunten Baumwollgewändern, Japaner im Einheitsanzug, plattköpfige Koreaner, magere alte Amerikanerinnen mit Pelzjäckchen und grotesken Haarfarben und Kinder, Kinder aller Nationen und Altersgruppen, essende Kinder, lesende, weinende, schlafende, Kinder auf Mutters Schoß und auf Vaters Arm, Kinder, die eine Puppe oder ein kleines Köfferchen umklammerten oder die an den großen Scheiben standen und auf die Rollbahn starrten, stumm und traurig, sich von Weihnachten nichts mehr versprechend. Die Luft war warm und abgestanden, die Halle von Lärm erfüllt, niemand sah freundlich, gelassen oder glücklich aus. Das Reisen am Heiligen Abend strengte alle Gefühle auf das äußerste an, und dann kam Erika.

Ich hatte mir ihren Rücken vor den Busen gepreßt, so daß sie den Leuten ihren hellrosa Bauch zeigte und die vier stämmigen Beine in die Luft streckte. Mit ihren freundlichen blauen Glasaugen veränderte Erika in ein paar Sekunden den ganzen Raum. Der Geräuschpegel wurde raunend sanft, Gelächter war zu hören. Die Kinder standen auf, wurden von den Eltern angestoßen, geweckt, Köpfe drehten sich um, ein paar Kinder kamen angelaufen. Zaghaftes Lächeln wurde zu breitem Lachen, in die Luft kam Bewegung, und in allen Sprachen der Welt, die ich nicht verstand, sagten kleine Jungen und Mädchen dasselbe: Oh, darf ich es anfassen? Ich nickte. Erikas Pfoten wurden gedrückt, ihr Ringelschwänzchen vorsichtig aufgerollt, ihre Ohren gekrault. Ein dunkler Junge tupfte sacht auf eines der blauen Glasaugen, und ein kleines schwarzes Mädchen mit zahllosen Perlenzöpfchen küßte Erika mitten auf die Schnauze und rannte dann schnell hinter den schützenden Rücken seiner Mutter.

Hätte ich mich in diesen Raum gestellt und zu diesen Menschen von Sanftheit und Liebe, von Harmonie und Sehnsucht, von Weihnachten, von Erlösung und Versöhnung gesprochen – niemand hätte mir zugehört. Eine peinliche Figur wäre ich gewesen, und der Wachmann hätte mich beim Arm genommen und gesagt: »Darf ich Sie zu Ihrem Flugzeug bringen?« oder: »Jetzt trinken Sie erst mal eine Tasse Kaffee.« Erika schaffte die Verzauberung durch ihre bloße Anwesenheit. Ein Schwein von solcher Größe, mit einem so milden Blick und einer derart weichen Anfaßfläche vermittelte mehr Frieden auf Erden und den Menschen ein Wohlgefallen, als die Prediger aller Mitternachtsmessen das würden schaffen können. Nehmt das geschundene, verkitschte, blondgelockte Jesuskind aus den Krippen und legt ein lebendgroßes Schwein mit rosa Fell und flehenden Glasäuglein unter den Weihnachtsbaum, und ihr werdet ein Wunder erleben!

Die letzte Maschine nach Mailand war klein, fast gemütlich, nicht ausgebucht. Erika konnte neben mir sitzen und wurde von Captain Travella und seiner Crew als *sorpresa speciale* an Bord herzlich begrüßt. Ein Gast *molto strano, però simpatico*, und die fünfzehn, zwanzig Fluggäste applaudierten.

Allmählich geriet ich in eine fast ausgelassene Stimmung. In nur wenigen Stunden hatte Erika mein Leben bereits verändert, das heißt, mein Leben mit Erika war anders abgelaufen, als es das ohne Erika getan hätte: Ich hatte mit wildfremden Menschen gesprochen, sogar mit dem Taxifahrer, Leute hatten mich angestrahlt und ich hatte zurückgelacht, und überall da, wo Erika und ich aufgetaucht waren, hatten wir die Stimmung und die Gesichter der Menschen für einen Augenblick aufgehellt.

Ich bestellte mir einen Rotwein und auch einen für Erika, der kommentarlos freundlich geliefert und serviert wurde. Wir flogen über die Alpen, und ich lehnte meinen Kopf an Erikas Schulter, fühlte mich wohl und wäre gern immer so weitergeflogen, um die Welt.

In Mailand streikten die Angestellten des Flughafens. Keine Treppe wurde an das Flugzeug gefahren, kein Bus kam auf das Rollfeld, um uns zu holen, wir mußten das Flugzeug über eine Rutsche verlassen. Als ich an der Reihe war, überlegte ich, ob ich zuerst rutschen und Erika solange einem andern Passagier oben anvertrauen sollte, oder ob ich Erika mit dem Ruf: »Erika, ich komme!« nach unten schicken und sofort nachkommen sollte. Die Entscheidung wurde mir durch die weitgeöffneten Arme bereits unten stehender Passagiere abgenommen: »Avanti!« riefen sie, und: »Vieni, bella!«, und sie meinten

Erika, die auf ihrem runden Rücken nach unten rollte und in die geöffneten Arme fiel, gedrückt, geküßt und gelobt wurde: »Brava, brava!« Ich rutschte nach und nahm sie eifersüchtig in Empfang, ganz stolze Mutter eines vielbeachteten Kindes. Wir mußten unsere Koffer selbst aus dem Bauch des Flugzeugs holen und dann den langen Weg übers Rollfeld zum Zollgebäude zu Fuß gehen. Die Passagiere halfen sich gegenseitig mit ihren schweren Gepäckstücken. Erika hatte eine milde Laune über all die gegossen, die sonst nur daran dachten, selbst so gut und so rasch wie möglich klarzukommen. Ein Schwein weilte unter uns und sorgte für samtene Heiterkeit am Vorweihnachtsabend. Ich bildete ein Paar mit einem großen Schwarzen, der sich zu seinem Koffer noch meine Reisetasche über die Schulter hängte und mir dafür sein kleines Aktenköfferchen zu tragen gab, aber in der Mitte zwischen uns schwebte Erika – er hielt ihre linke, ich die rechte Pfote –, und so gingen wir über den dunkelnassen Asphalt, von allen beneidet, denn mit Erika wäre jeder gern gegangen, aber er war der Entschlossenste gewesen. Ich hatte sofort Lust, für den Rest des Lebens mit diesem Schwarzen zusammenzubleiben, Erika in der Mitte, aber er erzählte mir, daß er Mr. Wilson heiße und Weihnachten bei seiner Schwester in Mailand verbringe, ohne seine Familie in Cleveland, Ohio. »A wonderful present«, sagte er über Erika, und ich erschrak bei dem Gedanken, sie verschenken zu müssen.

Die italienischen Zollbeamten winkten mich auf die Seite. Mr. Wilson verabschiedete sich mit Bedauern und händigte mir meine Reisetasche aus, aber die Tasche fand wenig Interesse bei den Zöllnern. Sie piekten mit den Fingern ins Schwein, rochen daran, drehten es um, versuchten, ob es klapperte, und Nando mußte kommen und Luigi, Michele, Danilo und Sergio, und jeder mußte Erika anfassen, begutachten, hochheben.

Als sie in den Röntgenkasten geschoben werden sollte, protestierte nicht nur ich. Die Passagiere empörten sich mit mir: so ein Unsinn, ein Schwein, ein Weihnachtsgeschenk für ein Kind, nun solle man nicht päpstlicher sein als der Papst ... Schließlich holte der, den sie Danilo nannten, einen alten, schlechtgelaunten Schäferhund, der mit seiner nassen Nase auf Erika herumschnüffelte und die Drogen bei ihr suchte, nach denen man ihn süchtig gemacht hatte. Sein Interesse an Erika war so gering, daß wir endlich die Sperre passieren konnten. Mr. Wilson, in Begleitung seiner Schwester, hatte auf uns gewartet und schien erleichtert. Er zeigte auf uns, die Schwester führte die Hand zum Mund und lachte. Wir winkten uns zu, und dann verschwand er und ich suchte den Bus zum Bahnhof.

Der Busfahrer rauchte, trotz der überall angebrachten Schilder »Vietato fumare«. Wir fuhren durch Straßen mit hohen, alten Häusern, die Schaufenster waren weihnachtlich geschmückt, und bunte Lichterketten flimmerten in den kahlen Bäumen der Vorgärten. Der Bus soff dreimal ab und blieb mitten auf der Straße stehen – dann fluchte der Fahrer, stieg aus, trat irgendwo dagegen, kam wieder herein, betätigte alle möglichen Hebel und es ging wieder weiter. »L'intelligenza si misura col metro« stand auf einer Wand, und ich überlegte, ob das bedeutete, daß die Intelligenz Metro fährt oder daß sich die Intelligenz mit dem Metermaß messen ließ – mein Italienisch war für solche Feinheiten nicht gut genug. Ich hatte meine Tasche ins Gepäcknetz gelegt und hielt Erika auf dem Schoß. Ein Nordafrikaner saß müde und knurrig neben mir und sah aus dem Fenster auf all den Dreck und den Verkehr, aber ich merkte, wie er mit der einen Hand einmal kurz über Erikas dicken Hintern strich. Alle anderen Fahrgäste sahen natürlich immer wieder zu uns herüber, und jeder reagierte auf seine Weise, mit

Lächeln, hochgezogenen Augenbrauen, begeistertem Kopfnik-
ken. Ich las in einer Zeitschrift, die ich aus dem Flugzeug mitgenommen hatte. In einem Artikel über Venedig stand: »Quan-
do sulla laguna piove zucchero, la città dei Dogi aumenta il suo
incantesimo«, und in englisch übersetzt stand platt daneben:
»When it's raining sugar on the lagoon, the city of the doges
is an enchantment.« Ich stellte mir vor, wie ich mit Erika in Venedig wäre und wir würden zusammen Gondel fahren auf den
schwarzen Kanälen, und auf den Brücken würden die Menschen stehenbleiben und dem blitzrosa Schwein auf ihren drek-
kigen Wassern zuwinken. Ich wurde müde und schlief an Erikas rosa Rücken fast ein, aber wir kamen am Bahnhof an, und
ich mußte aussteigen.
Der Mailänder Bahnhof ist groß und hoch und sehr alt und
schön, mit würdigen Fenstern, geschnitztem Holz und prächti-
gen, fast jugendstilartigen Verzierungen. Wie auf jedem Groß-
stadtbahnhof gab es auch hier ein Menschengewimmel, so daß
man ständig geschubst und gestoßen wurde, wenn man nicht
aufpaßte, aber ich hatte eine Gasse, durch die ich gehen konnte.
Erika sah mir mit blauen Glasaugen den Weg frei, und ich ging
wie das Volk Israel durchs Rote Meer durch diesen überfüllten
Weihnachtsbahnhof, und hinter mir schlossen sich die Wogen
wieder.
Mein Zug war brechend voll. Kein Speisewagen, keine Mög-
lichkeit zu entkommen, ich mußte auf dem Gang stehen und
mir meine Tasche zwischen die Beine klemmen. Aus dem Sechs-
mannabteil winkte jemand: Geben Sie mir nur Ihr Schwein,
ich halte es! Erika landete auf dem Schoß einer alten Frau,
die alles ausgiebig betastete und beschnüffelte, und dann wanderte sie weiter von Schoß zu Schoß, von Arm zu Arm, eifersüchtig und mißtrauisch von mir bewacht. Ich bin jemand,
der von Kristalllüstern in Hotels immer ein paar geschliffene

Glasanhänger stiehlt, und mit hellwachen Sinnen paßte ich auf, daß sich keiner an Erikas blauen Augen zu schaffen machte, ich kannte die Bosheit der Menschen, mir mußte man nichts erzählen!

Ich erinnerte mich daran, wie ich an meinem Geburtstag mal mit Franz in einem sehr eleganten Lokal zum Essen war. Sie hatten ausnehmend schöne Weingläser mit einem eingeschliffenen Sternchenmuster, und ich wollte so gern eins haben. Franz nahm eins vom Tisch, winkte dem Ober und fragte: »Wir haben leider ein Glas zerbrochen, was sind wir schuldig?« – »Oh, nichts, das kann passieren«, sagte der Ober natürlich, und Franz grinste und steckte das Glas ganz offiziell in meine Handtasche.

Der Zug fuhr durch eine trostlose Industrielandschaft mit zerbröckelnden Mietskasernen für die Arbeiter der Auto-, Amaretto- und Möbelwerke. Auf vielen Balkons die bunten Lichterketten, die nach Karneval aussehen, in Italien aber zu Weihnachten gehören. Blinkende Lichterketten in Palmen und Oleanderbüschen und magere Katzen in vertrockneten Vorgärten. Ich wurde plötzlich so traurig, fühlte mich so verlassen, so kläglich, so erschlagen von der Armut und dem Dreck der Welt, daß ich mit einer harschen Gebärde Erika zurückverlangte und mein Gesicht in ihren dicken weichen Nacken preßte. Die Weihnachten meiner Kindheit fielen mir ein, die keine Weihnachten waren, weil meine Mutter mit Kirche und Christentum nichts zu tun haben wollte und also auch kirchliche Feiertage nicht akzeptierte. Weihnachten fand einfach nicht statt, es gab weder einen Baum noch Geschenke, und für ein Kind ist das nicht leicht zu verstehen. Ich saß im Wohnzimmer am Fenster, sah überall in der Straße die Christbäume aufleuchten und schluckte die Tränen hinunter. Franz und ich hatten uns immer einen Baum geschmückt, mit lauter verrückten Utensilien wie Kü-

chensieben, Gabeln, Korkenziehern, aber doch mit Kerzen, und
Geschenke gab es auch, und dann beleuchteten wir das Büh-
nenbild zu »Don Giovanni«, in dem aus Fahrradbirnchen zu-
sammengeleimte Kronleuchter hingen, hörten die Ouvertüre
und versteckten Futter für Kain und Abel auf den Balkonen.
Was würden Franz und ich, wir beiden Einsamen, heute abend
tun? Er hatte vielleicht etwas gekocht, und ich hatte Erika für
ihn. Ob wir es schaffen würden, die zynischen Witze mal für
einen Abend wegzulassen? Ob wir wirklich miteinander reden
konnten, über alles, was schiefgegangen war und über Pläne
und Hoffnungen? Ob ich würde sagen können: Mein Vater
ist tot, ich bin so traurig und verlassen, ob ich würde sagen können: Ich bin krank, ich muß operiert werden, und ich fürchte
mich so? Und würde er mir erzählen von seiner Arbeit und
warum er dafür so weit geflüchtet war? Hatte er keine Freundin? Im Leben von Franz gab es immer Frauen, sogar als er
mit mir noch zusammen war, aber ich bin nicht von der eifer-
süchtigen Sorte – ich kann einfach keine Szenen machen, zu-
mal ich das Gefühl kenne, sich in jemanden zu verlieben, und
sei es nur für einen Abend. Was war schon dabei in einem so
kurzen und endgültigen Leben. Ich fürchtete mich plötzlich
vor den scharfen Falten im Gesicht von Franz, vor seinem
scharfen Verstand und seinem scharfen Blick auf mich. Als
der Zug nach längerem Halt und einer Zollkontrolle – Erika
wurde abermals sehr ausgiebig betastet und überprüft – von
Chiasso aus weiterfuhr, nächster Halt Lugano, brach mir der
Schweiß aus. Ich müßte mich von Erika trennen, für Franz,
der sie vielleicht gar nicht schätzen würde. Ich müßte neben
Franz im Bett liegen heute abend, und auf einmal erinnerte
ich mich daran, wie verbissen und fast gewalttätig Sex in den
damals letzten Wochen zwischen uns gewesen war. Wir wußten, daß wir uns trennen würden, und es war, als wollten wir

vorher versuchen, uns gegenseitig zu zerstören. Am Ende waren wir matt und sanft gewesen und friedlich auseinandergegangen, aber die Wochen davor hatte jeder versucht, den anderen zu zerbrechen.

Ich konnte Franz nicht wiedersehen. Ich konnte nicht, ich wollte nicht, es war aus zwischen uns, und nach all den Jahren waren wir auch keine Freunde mehr. O Gott, ich hätte nicht herfahren sollen, diese weite Reise, am Heiligabend, nun stand ich in diesem überfüllten Zug und fuhr in eine Stadt, die ich nicht kannte, zu einem Mann, mit dem ich fertig war und dessen Ironie ich in meinem desolaten Zustand nicht würde ertragen können. Und Erika – um keinen Preis würde ich Erika hergeben, schon gar nicht an Franz.

Als der Zug in Lugano hielt, sah ich ihn sofort. Er stand unter einer Lampe, in einem eleganten Mantel, und rauchte. Seine Augen waren zusammengekniffen und sein Gesicht schien mir noch schmaler als früher. Ich spürte eine vertraute Zärtlichkeit für ihn, den ich so gut kannte, aber gleichzeitig eine würgende Angst, ihm gegenüberzutreten, von ihm umarmt zu werden, ihn zu küssen. Ich blieb stehen, mein Gesicht in Erikas Fell gepreßt, und ließ die Reisenden an mir vorbei aussteigen. Das Abteil wurde fast leer. Franz schlenderte über den Bahnsteig, suchend, er kam auch an meinem Fenster vorbei, sah flüchtig hoch, beobachtete aber sofort wieder den Bahnsteig, die Hände tief in den Taschen, die Zigarette im Mundwinkel. Franz! dachte ich, weißt du noch, früher haben wir immer behauptet, daß Liebende ihre gegenseitige Nähe spüren, sie fühlen, wenn der andere ins Lokal tritt, und drehen sich im rechten Augenblick um – das war in unserer allerersten Zeit, als wir noch so glücklich miteinander waren. In einem Lokal haben wir uns kennengelernt, ich war an Wochenenden Aushilfskellnerin, um mein letztes Semester zu finanzieren, und du kamst an einen Tisch und studiertest so lange die Karte, daß ich schließlich auf dich zugegangen bin und gesagt habe: »Ich bin Lisa mit der Empfehlung des Tages, Hände weg vom Käsekuchen, der ist von letzter Woche, aber den Apfelkuchen kann ich nur empfehlen.« Du sahst mich verblüfft an und sagtest schlagartig: »Gut, dann nehme ich den Käsekuchen.« Wir mußten beide lachen und du sagtest: »Das ist aber ein klasse Trick, um die Reste loszuwerden«, und ich sagte: »Der ist nicht von mir, er ist aus irgendeinem Film, aber er gefällt mir so gut.« – »Du gefällst mir auch gut«, sagtest du, und an dem Abend lag ich schon in deinem Bett – mit uns war immer alles ganz schnell und unkompliziert gegangen.

Und genauso schnell entschied ich mich jetzt, aus diesem Zug nicht auszusteigen. Ich wollte Franz nicht wiedersehen. Ich wollte nicht, nur weil es uns beiden schlechtging, eine alte Geschichte wieder aufwärmen. Ich wollte mich von Erika nicht trennen, und der Zug fuhr weiter, rollte aus dem Bahnhof von Lugano durch einen langen, finsteren Tunnel, und ich dachte: »Frohe Weihnachten.«

Ich stellte mir vor, wie Franz jetzt verblüfft zurückbleiben und in der Bahnhofsgaststätte einen Espresso trinken würde. Dann würde er vielleicht nach Mailand telefonieren, ob das Flugzeug pünktlich angekommen sei, er würde noch einen Zug abwarten und vielleicht noch einen, und schließlich würde er in seine elegante Wohnung über dem See zurückfahren und auf einen Anruf oder ein Telegramm warten, sein Roastbeef endlich allein essen, seinen Fendant dazu trinken und fluchend aus dem Fenster sehen und denken: »Das gibt's doch nicht, daß die kleine Betty mich so linkt.«

Ich wußte nicht, was aus mir werden sollte. Ich wußte nicht, wie weit ich fahren, wo ich übernachten würde, aber ich hatte Erika und einen Platz im leergewordenen Abteil, auf den ich mich mit ihr setzte. Der Zug fuhr durch kleine Bahnhöfe, ohne zu halten: Taverne-Torricella, Mezzovico, Rivera-Bironico. Die Orte sahen sauber und adrett aus, hier war man in der Schweiz und nicht mehr in italienischem Durcheinander. In welcher faden Pension, in welchem Ort würde ich landen? Ich war in Berlin mal an einem verzweiflungsvollen Nachmittag ins Kino gegangen, ohne aufs Plakat zu schauen, ohne zu wissen, welcher Film lief. Es hätte schiefgehen können, aber es ging gut, und ich war in eine wunderbare Komödie mit dem dummen Titel »Ein Haar in der Suppe« geraten, hinter dem sich ein witziger und gutgemachter Film über Studenten und Künstler in Greenwich-Village verbarg. Vielleicht, dachte ich, hält der Zug in einem zauberhaften Ort, und ich steige aus und mache mein Glück, es ist alles drin. Und ich bereute keinen Augenblick, Franz auf dem Bahnhof stehengelassen zu haben. Franz war schon eine Million Lichtjahre weit weg, und außerdem konnte man wahrscheinlich von überall nach Zürich weiterfahren und von dort aus noch nach Hause fliegen.

Der Zug fuhr jetzt langsamer. Links sah man in einem Tal eine Industrieansiedlung, rechts lagen schöne alte Villen unter hohen Zedern an einem Hügel. Ein Kastell wurde sichtbar und ein ehrwürdiges Gebäude mit der Inschrift »Istituto Santa Maria«, wahrscheinlich etwas für höhere Töchter, und dann hielt der Zug kurz nach 19 Uhr in Bellinzona. Ich stieg aus und stand mit Erika auf einem fast leeren Bahnsteig. Es war kalt, und vor mir versuchte eine Taube, einen Krümel aufzupicken, aber es gelang ihr nicht, denn ihr Schnabel war mit Kaugummi verklebt. Ich verließ den Bahnhof und sah direkt gegenüber ein riesiges, rosafarbenes Hotel, *Albergo internazionale.* Alle Fenster waren geschlossen, und an der Tür hing ein Schild: *chiuso.* Ich schulterte meine Tasche, preßte Erika an mich und ging die Straße am Bahnhof hinunter, die aussah wie fast alle Straßen an fast allen Bahnhöfen – Boutiquen, Kaufhäuser, Jeans-Shops, Reisebüros, Armbanduhren, Tabak und Zeitschriften. Ich sah in alle Nebenstraßen hinein, und bei der dritten hatte ich Glück: *Pensione Montalbina.*

An der Tür war ein Schild: *chiuso*, aber im Parterre war hinter vorgezogenen Gardinen Licht zu sehen. Ich mußte es versuchen. Ich war sicher, daß Erika mir die Türen öffnen würde. Das Jesuskind, dessen Existenz meine Mutter so gründlich bezweifelte, wurde am Heiligabend nirgends eingelassen, aber einem Plüschschwein würde man sich doch nicht verschließen können!

Eine Gardine wurde vorsichtig zurückgeschoben, und hinter der Scheibe erschien ein dicker roter Männerkopf. Mit kreisrunden Augen schaute er auf mich und winkte mit dem Zeigefinger ab. »Chiuso!« formte sein kleines fettes Mündchen, aber ich sah ihn flehend an und hielt Erika hoch. Er starrte auf Erika, und die Gardine wurde wieder vorgezogen. Innen hörte ich ihn schlurfen, und nach langem umständlichem Genestel wurde schließlich die Tür geöffnet. Vor mir stand ein Mann, nicht viel größer als ich, aber unermeßlich dick. Der runde Kopf saß ihm halslos auf den Schultern, seine Füße hatte er sicher seit Jahren nicht sehen können unter dem mächtigen Bauch, und die feisten Arme ruderten mit abwehrender Geste rechts und links neben dem Körper. »Chiuso«, sagte er, geschlossen, niemand da, und staunte Erika an. »Was ist das denn?« fragte er, und ich sagte: »Das ist ein Schwein, und wir suchen ein Zimmer für eine Nacht und ein Abendessen.« – »Ein Schwein«, murmelte er, »un maiale!« und streckte die Hand aus, um Erika vorsichtig zu streicheln. »Es heißt Erika«, sagte ich kühn, und der Dicke nickte ehrfürchtig und murmelte, als sei das die selbstverständlichste Sache der Welt: »Erika.« – »Bitte, lassen Sie uns rein«, sagte ich, »mich und Erika. Wir wis-

sen nicht, wohin wir sollen«, und ich zeigte ihm auch vorsichts-
halber, daß ich Geld hatte, um ein Zimmer zu bezahlen.
Er schüttelte den Kopf, aber eher ratlos und verzweifelt als
wirklich abweisend. »Es geht nicht«, sagte er, »die Pension ist
bis 15. Januar geschlossen, und ich bin nur der Koch. Es ist niemand da.« – »Bitte!« sagte ich, und ich wußte selbst nicht, warum ich so hartnäckig war. Ich hätte ja auch einfach zum Bahnhof zurückgehen und nach Zürich fahren können, aber ich war
müde und fror, und dieser Dicke flößte mir Vertrauen ein,
nachdem ich den ganzen Tag mit der dicken weichen Erika
so glücklich gewesen war. Ich wollte meinen Abend mit einem
fetten Koch und einem runden Schwein verbringen.
Der Mann starrte mich lange an, und Kämpfe spielten sich in
seinem Innern ab, man konnte es auf seinem Gesicht lesen. Die
Stirn lag in qualvollen Falten, das Mündchen spitzte sich und
stieß kleine Laute aus, die Nase bebte, und die Kugelaugen wei-
teten sich immer mehr. Seine Gesichtsfarbe ging von Rosa in
ein dunkles Rot über, und die Ohren schienen violett, und endlich hob er die Arme, legte den Kopf schief, stieß mit dem Fuß
die Tür etwas weiter auf und ließ mich eintreten. Er schloß hinter mir ab, und da stand ich nun in einem dunklen Flur, Erika
im Arm, und wartete, was in diesem Jahr aus Weihnachten
noch werden würde.
Der Dicke tänzelte auf zierlichen Füßen vor mir her und öffnete die Tür zu einer erstaunlich großen Küche, in der ein Ka-
minfeuer brannte. Ein großer Herd war an der einen Seite,
umgeben von Regalen mit Gerätschaften, und an der anderen
Seite stand ein riesiger gescheuerter Holztisch mit einer Bank
und ein paar Stühlen. Auf dem Tisch standen ein Teller mit Sa-
lami, eine Flasche Wein und ein Kofferradio, aus dem Riccardo
Cocciante sang. Der Dicke wies mir mit der Hand einen Platz
am Tisch an und stand unschlüssig herum. Ich setzte mich und

plazierte Erika neben mich, die ihre Pfoten brav auf die Tischplatte legte. Der Dicke konnte sich nicht satt sehen. »Erika«, sagte er wieder, und: »mai visto un maiale così grande, noch nie habe ich ein so großes Schwein gesehen.«

Er nahm seinen Teller, der fast leer gegessen war, und steckte sich die letzten Salamischeiben in den Mund. »Jetzt kochen wir richtig«, sagte er und band sich eine Schürze um. Er setzte einen Topf mit Wasser auf und holte Nudeln aus dem Schrank. In einer Pfanne rührte er eine Sauce an, auf einem Brett hackte er frische Kräuter, vor seiner Brust schnitt er ein großes Weißbrot in Scheiben. Er arbeitete stumm, rasch und sicher, und es schien, als hätte er mich vergessen. Nur auf Erika warf er ab und zu einen Blick und murmelte ihren Namen. Mitten in seiner Arbeit stellte er mir ein Glas hin und schob mir die Weinflasche zu. Ich goß mir und auch ihm ein und hielt mein Glas hoch. »Salute«, sagte ich, und er drehte sich vom Herd um und sah mich an. Er lächelte und zeigte kleine weiße Zähne. Er nahm sein Glas, stieß mit mir an und sagte: »Franco.« – »Veronika«, sagte ich, und er wiederholte: »Veronika. E Erika.«

Ich streckte meine Beine aus, genoß die Wärme und schloß die Augen. Ich hörte Franco hantieren und die Spaghetti abgießen, im Radio sang jetzt Franceso de Gregori das Lied vom kleinen Italiener, der auf einem großen Schiff nach Amerika fährt. Aber er sieht nichts von Amerika, denn er ist Heizer und muß immer unten im Bauch des Schiffes bleiben, *in questa nave nera sul'quest'Attlantico cattivo.* Ich fühlte mich wohl und geborgen und dachte: »Adieu, Franz. Ciao, Franco.« Franco stellte einen Teller mit einer Gabel vor mich hin. Er brachte dampfende Schüsseln und fragte: »Lei non mangi?« Sie ißt nicht? und zeigte auf Erika. Nein, sagte ich, aber ich hätte einen Riesenhunger, und wir fingen an zu essen. »Danke, Franco«, sagte ich und legte einen Augenblick meine Hand auf seine, als wären wir alte Freunde. Er war verlegen und konnte mich nicht ansehen. Erika saß zwischen uns – Franco am Kopfende des großen Tisches, dann Erika links an der Seite, dann ich, und wir schoben die Weinflasche vor Erika hin und her, bis sie fast leer war und Franco eine zweite holte. Er sprach ein bißchen Touristendeutsch, und ich radebrechte italienisch, und so versuchten wir, uns gegenseitig zu erklären, was uns ausgerechnet Heiligabend in diese Küche verschlagen hatte. Ich log etwas von auf der Durchfahrt, Flugzeug verpaßt, und er erzählte von Herrschaften, die in Urlaub waren. Er dürfe hier wohnen, weil er nicht nach Hause wolle. Ich fragte ihn, warum nicht – ob er Familie hätte, wo er wohne, und nach einer langen Pause mit stockenden Anfängen kam dann schließlich Francos traurige Geschichte heraus – daß er vom Dorf sei, nicht hier aus der Schweiz, sondern aus Cusino, drüben in Italien, und jeden Tag fahre er als Koch hin und her, denn er habe eine Frau und eine Tochter. Und die Frau hatte ihn verlassen, gerade jetzt vor Weihnachten war sie zu einem Friseur nach Locarno gezogen, mit dem Kind, und allein hielt er es zu Hause nicht aus. Er sah Erika verzweifelt an und rief: »Meine Frau war auch so dick, und ganz rosa, so eine schöne zarte Haut!« und streckte die Hand aus und streichelte Erika, und Tränen kamen ihm in die Augen. Ich erzählte, daß ich geschieden sei und ganz allein lebte, und daß ich jemanden in Lugano besuchen wollte und dann einfach weitergefahren wäre, und ob wir nicht diesen Abend zusammen hierbleiben könnten?

»Sisi«, rief er, jaja, und holte eine Flasche Grappa und zwei Gläser. »Sie ist einfach weggefahren mit ihm«, schluchzte er, »was will sie denn mit einem Friseur, der kann ja nicht mal richtig für sie kochen!« Er holte Tiramisu aus dem Kühlschrank und machte uns in großen Tassen Cappuccino. Die zweite Flasche Wein war leer, und der Grappa floß auch gut weg. Ich legte den Kopf auf den Tisch und drehte am Radio. Ich fand das Weihnachtsoratorium und drehte es laut auf: »Bereite dich, Zion, mit herrlichen Chören, den Schönsten, den Liebsten bald bei dir zu sehen«, sang ich mit, denn ich war als Kind in einem Bach-Chor gewesen und konnte alle Oratorien singen. Franco wischte sich mit der Schürze die Tränen ab, putzte seine Nase und nahm Erika auf den Schoß. »So weich war sie!« rief er, »so weich, und ich habe sie immer gut behandelt. Mit einem Friseur!« Und er fing wieder an zu weinen und drückte sein Gesicht zwischen Erikas Ohren. Jauchzet, frohlocket. Ich wurde so müde und rückte meinen Stuhl näher ans Feuer. Mein Grappaglas nahm ich mit und schaute in die Flammen, die loderten und knisterten, und ich hätte gern einen Tannenzweig verbrannt, damit es nach Weihnachten gerochen hätte. »Scheißweihnachten«, sagte ich und legte noch ein Stück Holz nach, und Franco sagte: »Erika«, und der Kopf fiel ihm herunter.

Als ich aufwachte, war es gegen Morgen und das Feuer war ausgegangen. Steif geworden hing ich in meinem Stuhl, das Grappaglas lag in Scherben auf dem Boden. Tageslicht drang durch die Vorhänge, und quer über dem Tisch lag der dicke Franco, den Kopf auf Erika gebettet, und schlief.

Ich stand sehr leise auf, nahm meine Tasche und ging, ohne ein Geräusch zu machen. Der Schlüssel steckte in der Haustür, die ich hinter mir zuzog. Die Straße lag still und leer da, ich sah zur *Pensione Montalbina* hoch und dachte: »Alles Gute, Erika, tröste ihn, du kannst es!« und ging zum Bahnhof. Zu Hause in Berlin fand ich ein Telegramm von Franz: »Was ist los, verdammt?«, und ich telegraphierte zurück: »Nichts. Adieu« und rief meine Mutter an, die noch gar nicht gemerkt hatte, daß ich weggewesen war und daß erster Weihnachtstag war.

Ein wahres Wunder

Alexander Kluge
Das Prinzip Überraschung

Zum Geburtstag erhielt ich ein Tretauto geschenkt. Eines Abends war es kaputtgefahren. Magda, unsere Kinderfrau, die mein unglückliches Gesicht sah, riet mir, das beschädigte Gefährt für die Nacht in einen Schuppen im Hofe zu stellen. »Vielleicht erholt es sich, wenn es schläft.« Am anderen Morgen stand das Tretauto repariert da. Wahrscheinlich hatte Herr Laube, der Mann der Hauswartsfrau (er besaß technische Kenntnisse), sich auf Magdas Bitten um das Auto gekümmert. Noch heute hoffe ich, wenn ich die Lösung eines Problems vertage, auf ein solches Übernachtwunder. Das ist das PRINZIP ÜBERRASCHUNG, das Napoleon als seinen Verfassungsgrundsatz bezeichnet hat. Ihm entspricht in der US-Verfassung das Menschenrecht des »pursuit of happiness«. Nicht wegen seiner militärischen Siege, sondern wegen dieses Versprechens auf Reparatur der Welt sind in der Zinnsoldatenproduktion Napoleons Schlachten, aber auch dessen Feste in den Tuilerien eines der häufigsten Themen.

Erich Kästner

Das Märchen vom Glück

Siebzig war er gut und gern, der alte Mann, der mir in der verräucherten Kneipe gegenübersaß. Sein Schopf sah aus, als habe es darauf geschneit, und die Augen blitzten wie eine blankgefegte Eisbahn. »O, sind die Menschen dumm«, sagte er und schüttelte den Kopf, daß ich dachte, gleich müßten Schneeflokken aus seinem Haar aufwirbeln. »Das Glück ist ja schließlich keine Dauerwurst, von der man sich täglich seine Scheibe herunterschneiden kann!«

»Stimmt«, meinte ich, »das Glück hat ganz und gar nichts Geräuchertes an sich. Obwohl ...« »Obwohl?« »Obwohl gerade Sie aussehen, als hinge bei Ihnen zu Hause der Schinken des Glücks im Rauchfang.« »Ich bin eine Ausnahme«, sagte er und trank einen Schluck. »Ich bin die Ausnahme. Ich bin nämlich der Mann, der einen Wunsch frei hat.«

Er blickte mir prüfend ins Gesicht, und dann erzählte er seine Geschichte. »Das ist lange her«, begann er und stützte den Kopf in beide Hände, »sehr lange. Vierzig Jahre. Ich war noch jung und litt am Leben wie an einer geschwollenen Backe. Da setzte sich, als ich eines Mittags verbittert auf einer grünen Parkbank hockte, ein alter Mann neben mich und sagte beiläufig: ›Also gut. Wir haben es uns überlegt. Du hast drei Wünsche frei.‹ Ich starrte in meine Zeitung und tat, als hätte ich nichts gehört. ›Wünsch dir, was du willst‹, fuhr er fort, ›die schönste Frau oder das meiste Geld oder den größten Schnurrbart – das ist deine Sache. Aber werde endlich glücklich! Deine Unzufriedenheit geht uns auf die Nerven.‹ Er sah aus wie der Weihnachtsmann in Zivil. Weißer Vollbart, rote Apfelbäckchen, Augenbrauen wie aus Christbaumwatte. Gar nichts Verrücktes.

Vielleicht ein bißchen zu gutmütig. Nachdem ich ihn eingehend betrachtet hatte, starrte ich wieder in meine Zeitung. ›Obwohl es uns nichts angeht, was du mit deinen drei Wünschen machst‹, sagte er, ›wäre es natürlich kein Fehler, wenn du dir die Angelegenheit vorher genau überlegtest. Denn drei Wünsche sind nicht vier Wünsche oder fünf, sondern drei. Und wenn du hinterher noch immer neidisch und unglücklich wärst, könnten wir dir und uns nicht mehr helfen.‹ Ich weiß nicht, ob Sie sich in meine Lage versetzen können. Ich saß auf einer Bank und haderte mit Gott und der Welt. In der Ferne klingelten die Straßenbahnen. Die Wachtparade zog irgendwo mit Pauken und Trompeten zum Schloß. Und neben mir saß nun dieser alte Quatschkopf!«

»Sie wurden wütend?«

»Ich wurde wütend. Mir war zumute wie einem Kessel kurz vorm Zerplatzen. Und als er sein weißwattiertes Großvatermündchen von neuem aufmachen wollte, stieß ich zornzitternd hervor: ›Damit Sie alter Esel mich nicht länger duzen, nehme ich mir die Freiheit, meinen ersten und innigsten Wunsch auszusprechen – scheren Sie sich zum Teufel!‹ Das war nicht fein und höflich, aber ich konnte einfach nicht anders. Es hätte mich sonst zerrissen.«

»Und?«

»Was ›Und‹?«

»War er weg?«

»Ach so! – Natürlich war er weg! Wie fortgeweht. In der gleichen Sekunde. In nichts aufgelöst. Ich guckte sogar unter die Bank. Aber dort war er auch nicht. Mir wurde ganz übel vor lauter Schreck. Die Sache mit den Wünschen schien zu stimmen! Und der erste Wunsch hatte sich bereits erfüllt! Du meine Güte! Und wenn er sich erfüllt hatte, dann war der gute, liebe, brave Großpapa, wer er nun auch sein mochte, nicht nur weg, nicht nur von meiner Bank verschwunden, nein, dann war er beim Teufel! Dann war er in der Hölle! ›Sei nicht albern‹, sagte ich zu mir selber. ›Die Hölle gibt es ja gar nicht, und den Teufel auch nicht.‹ Aber die drei Wünsche, gab's denn die? Und trotzdem war der alte Mann, kaum hatte ich's gewünscht, verschwunden ... Mir wurde heiß und kalt. Mir schlotterten die Knie. Was sollte ich machen? Der alte Mann mußte wieder her, ob's nun eine Hölle gab oder nicht. Das war ich ihm schuldig. Ich mußte meinen zweiten Wunsch dransetzen, den zweiten von dreien, o ich Ochse! Oder sollte ich ihn lassen, wo er war? Mit seinen hübschen, roten Apfelbäckchen? ›Bratapfelbäckchen‹, dachte ich schaudernd. Mir blieb keine Wahl. Ich schloß die Augen und flüsterte ängstlich: ›Ich wünsche mir, daß der alte Mann wieder neben mir sitzt!‹ Wissen Sie, ich habe mir jahrelang, bis in den Traum hinein, die bittersten Vorwürfe gemacht, daß ich den zweiten Wunsch auf diese Weise verschleudert habe, doch ich sah damals keinen Ausweg. Es gab ja auch keinen ...«

»Und?«

»Was ›Und‹?«

»War er wieder da?«

»Ach so! – Natürlich war er wieder da! In der nämlichen Sekunde. Er saß wieder neben mir, als wäre er nie fortgewünscht gewesen. Das heißt, man sah's ihm schon an, daß er ..., daß er irgendwo gewesen war, wo es verteufelt, ich meine, wo es sehr heiß sein mußte. O ja. Die buschigen weißen Augenbrauen waren ein bißchen verbrannt. Und der schöne Vollbart hatte auch etwas gelitten. Besonders an den Rändern. Außerdem roch's wie nach versengter Gans. Er blickte mich vorwurfsvoll an. Dann zog er ein Bartbürstchen aus der Brusttasche, putzte sich Bart und Brauen und sagte gekränkt: ›Hören Sie, junger Mann – fein war das nicht von Ihnen!‹ Ich stotterte eine Entschuldigung. Wie leid es mir täte. Ich hätte doch nicht an die drei Wünsche geglaubt. Und außerdem hätte ich immerhin versucht, den Schaden wiedergutzumachen. ›Das ist richtig‹, meinte er. ›Es wurde aber auch die höchste Zeit.‹ Dann lächelte er. Er lächelte so freundlich, daß mir fast die Tränen kamen. ›Nun haben Sie nur noch einen Wunsch frei‹, sagte er, ›den dritten. Mit ihm gehen Sie hoffentlich ein bißchen vorsichtiger um. Versprechen Sie mir das?‹ Ich nickte und schluckte. ›Ja‹, antwortete ich dann, ›aber nur, wenn Sie mich wieder duzen.‹ Da mußte er lachen. ›Gut, mein Junge‹, sagte er und gab mir die Hand. ›Leb wohl. Sei nicht allzu unglücklich. Und gib auf deinen letzten Wunsch acht.‹ – ›Ich verspreche es Ihnen‹, erwiderte ich feierlich. Doch er war schon weg. Wie fortgeblasen.«

»Und?«

»Was ›Und‹?«

»Seitdem sind Sie glücklich?«

»Ach so. – Glücklich?« Mein Nachbar stand auf, nahm Hut und Mantel vom Garderobehaken, sah mich mit seinen blitzblanken Augen an und sagte: »Den letzten Wunsch hab ich vierzig Jahre lang nicht angerührt. Manchmal war ich nahe dran. Aber nein. Wünsche sind nur gut, solange man sie noch vor sich hat. Leben Sie wohl.«

Ich sah vom Fenster aus, wie er über die Straße ging. Die Schneeflocken umtanzten ihn. Und er hatte ganz vergessen, mir zu sagen, ob wenigstens er glücklich sei. Oder hatte er mir absichtlich nicht geantwortet? Das ist natürlich auch möglich.

Marie Luise Kaschnitz

Das Wunder

Die Schwierigkeit, die man im Verkehr mit Don Crescenzo hat, besteht darin, daß er stocktaub ist. Er hört nicht das geringste und ist zu stolz, den Leuten von den Lippen zu lesen. Trotzdem kann man ein Gespräch mit ihm nicht einfach damit anfangen, daß man etwas auf einen Zettel schreibt. Man muß so tun, als gehöre er noch zu einem, als sei er noch ein Teil unserer lauten, geschwätzigen Welt.

Als ich Don Crescenzo fragte, wie das an Weihnachten gewesen sei, saß er auf einem der Korbstühlchen am Eingang seines Hotels. Es war sechs Uhr, und der Strom der Mittagskarawanen hatte sich verlaufen. Es war ganz still, und ich setzte mich auf das andere Korbstühlchen, gerade unter das Barometer mit dem Werbebild der Schiffahrtslinie, einem weißen Schiff im blauen Meer. Ich wiederholte meine Frage, und Don Crescenzo hob die Hände gegen seine Ohren und schüttelte bedauernd den Kopf. Dann zog er ein Blöckchen und einen Bleistift aus der Tasche, und ich schrieb das Wort Natale und sah ihn erwartungsvoll an.

Ich werde jetzt gleich anfangen, meine Weihnachtsgeschichte zu erzählen, die eigentlich Don Crescenzos Geschichte ist. Aber vorher muß ich noch etwas über diesen Don Crescenzo sagen. Meine Leser müssen wissen, wie arm er einmal war und wie reich er jetzt ist, ein Herr über hundert Angestellte, ein Besitzer von großen Wein- und Zitronengärten und von sieben Häusern. Sie müssen sich sein Gesicht vorstellen, das mit jedem Jahr der Taubheit sanfter wirkt, so als würden Gesichter nur von der beständigen Rede und Gegenrede geformt und bestimmt. Sie müssen ihn vor sich sehen, wie er unter den

Gästen seines Hotels umhergeht, aufmerksam und traurig und schrecklich allein. Und dann müssen Sie auch erfahren, daß er sehr gern aus seinem Leben erzählt und daß er dabei nicht schreit, sondern mit leiser Stimme spricht.

Oft habe ich ihm zugehört, und natürlich war mir auch die Weihnachtsgeschichte schon bekannt. Ich wußte, daß sie mit der Nacht anfing, in der der Berg kam, ja, so hatten sie geschrien: der Berg kommt, und sie hatten das Kind aus dem Bett gerissen und den schmalen Felsenweg entlang. Er war damals sieben Jahre alt, und wenn Don Crescenzo davon berichtete, hob er die Hände an die Ohren, um zu verstehen zu geben, daß dieser Nacht gewiß die Schuld an seinem jetzigen Leiden zuzuschreiben sei.

Ich war sieben Jahre alt und hatte das Fieber, sagte Don Crescenzo und hob die Hände gegen die Ohren, auch dieses Mal. Wir waren alle im Nachthemd, und das war es auch, was uns geblieben war, nachdem der Berg unser Haus ins Meer gerissen hatte, das Hemd auf dem Leibe, sonst nichts. Wir wurden von Verwandten aufgenommen, und andere Verwandte haben uns später das Grundstück gegeben, dasselbe, auf dem jetzt das Albergo steht. Meine Eltern haben dort, noch bevor der Winter kam, ein Haus gebaut. Mein Vater hat die Maurerarbeiten gemacht, und meine Mutter hat ihm die Ziegel in Säcken den Abhang hinuntergeschleppt. Sie war klein und schwach, und wenn sie glaubte, daß niemand in der Nähe sei, setzte sie sich einen Augenblick auf die Treppe und seufzte, und die Tränen liefen ihr über das Gesicht. Gegen Ende des Jahres war das Haus fertig, und wir schliefen auf dem Fußboden, in Decken gewickelt, und froren sehr.

Und dann kam Weihnachten, sagte ich und deutete auf das Wort »Natale«, das auf dem obersten Zettel stand.

Ja, sagte Don Crescenzo, dann kam Weihnachten, und an diesem Tage war mir so traurig zumute wie in meinem ganzen Leben nicht. Mein Vater war Arzt, aber einer von denen, die keine Rechnungen schreiben. Er ging hin und behandelte die Leute, und wenn sie fragten, was sie schuldig seien, sagte er, zuerst müßten sie die Arzneien kaufen und dann das Fleisch für die Suppe, und dann wollte er ihnen sagen, wieviel. Aber er sagte es nie. Er kannte die Leute hier sehr gut und wußte, daß sie kein Geld hatten. Er brachte es einfach nicht fertig, sie zu drängen, auch damals nicht, als wir alles verloren hatten und die letzten Ersparnisse durch den Hausbau aufgezehrt waren. Er versuchte es einmal, kurz vor Weihnachten, an dem Tage, an dem wir unser letztes Holz im Herd verbrannten. An diesem Abend brachte meine Mutter einen Stoß weißer Zettel nach Hause und legte sie vor meinen Vater hin, und dann nannte sie ihm eine Reihe von Namen, und mein Vater schrieb die Namen auf die Zettel und jedesmal ein paar Zahlen dazu. Aber als er damit fertig war, stand er auf und warf die Zettel in das Herdfeuer, das gerade am Ausgehen war. Das Feuer flackerte sehr schön, und ich freute mich darüber, aber meine Mutter fuhr zusammen und sah meinen Vater traurig und zornig an.

So kam es, daß wir am vierundzwanzigsten Dezember kein Holz mehr hatten, kein Essen und keine Kleider, die anständig genug gewesen wären, damit in die Kirche zu gehen. Ich glaube nicht, daß meine Eltern sich darüber viel Gedanken machten. Erwachsene, denen so etwas geschieht, sind gewiß der Überzeugung, daß es ihnen schon einmal wieder besser gehen wird und daß sie dann essen und trinken und Gott loben können, wie sie es so oft getan haben im Laufe der Zeit. Aber für ein Kind ist das etwas ganz anderes. Ein Kind sitzt da und wartet auf das Wunder, und wenn Das Wunder nicht kommt, ist alles aus und vorbei ...

Bei diesen Worten beugte sich Don Crescenzo vor und sah auf die Straße hinaus, so als ob dort etwas seine Aufmerksamkeit in Anspruch nähme. Aber in Wirklichkeit versuchte er nur, seine Tränen zu verbergen. Er versuchte, mich nicht merken zu lassen, wie das Gift der Enttäuschung noch heute alle Zellen seines Körpers durchdrang.

Unser Weihnachtsfest, fuhr er nach einer Weile fort, ist gewiß ganz anders als die Weihnachten bei Ihnen zu Hause. Es ist ein sehr lautes, sehr fröhliches Fest. Das Jesuskind wird im Glasschrein in der Prozession getragen, und die Blechmusik spielt. Viele Stunden lang werden Böllerschüsse abgefeuert, und der Hall dieser Schüsse wird von den Felsen zurückgeworfen, so daß es sich anhört wie eine gewaltige Schlacht. Raketen steigen in die Luft, entfalten sich zu gigantischen Palmenbäumen und sinken in einem Regen von Sternen zurück ins Tal. Die Kinder johlen und lärmen, und das Meer mit seinen schwarzen Winterwellen rauscht so laut, als ob es vor Freude schluchze und singe. Das ist unser Christfest, und der ganze Tag vergeht mit Vorbereitungen dazu. Die Knaben richten ihre kleinen Feuerwerkskörper, und die Mädchen binden Kränze und putzen die versilberten Fische, die sie der Madonna umhängen. In allen Häusern wird gebraten und gebacken und süßer Sirup gerührt.

So war es auch bei uns gewesen, solange ich denken konnte. Aber in der Christnacht, die auf den Bergsturz folgte, war es in unserem Hause furchtbar still. Es brannte kein Feuer, und darum blieb ich so lange wie möglich draußen, weil es dort immer noch ein wenig wärmer war als drinnen. Ich saß auf den Stufen und sah zur Straße hinauf, wo die Leute vorübergingen und wo die Wagen mit ihren schwachen Öllämpchen auftauchten und wieder verschwanden. Es waren eine Menge Leute unterwegs, Bauern, die mit ihren Familien in die Kirche fuhren, und andere, die noch etwas zu verkaufen hatten, Eier und lebendige Hühner und Wein. Als ich da saß, konnte ich das Gegacker der Hühner hören und das lustige Schwatzen der Kinder, die einander erzählten, was sie alles erleben würden heute nacht. Ich sah jedem Wagen nach, bis er in dem dunklen Loch des Tunnels verschwand, und dann wandte ich den Kopf wieder und schaute nach einem neuen Fuhrwerk aus; als es auf der Straße stiller wurde, dachte ich, das Fest müsse begonnen haben und ich würde nun etwas vernehmen von dem Knattern der Raketen und den Schreien der Begeisterung und des Glücks. Aber ich hörte nichts als die Geräusche des Meeres, das gegen die Felsen klatschte, und die Stimme meiner Mutter, die betete und mich aufforderte, einzustimmen in die Litanei. Ich tat es schließlich, aber ganz mechanisch und mit verstocktem Gemüt. Ich war sehr hungrig und wollte mein Essen haben, Fleisch und Süßes und Wein. Aber vorher wollte ich mein Fest haben, mein schönes Fest …

Und dann auf einmal veränderte sich alles auf eine unfaßbare Art. Die Schritte auf der Straße gingen nicht mehr vorüber, und die Fahrzeuge hielten an. Im Schein der Lampen sahen wir einen prallen Sack, der in unseren Garten geworfen, und hochgepackte Körbe, die an den Rand der Straße gestellt wurden. Eine Ladung Holz und Reisig rutschte die Stufen herunter, und als ich mich vorsichtig die Treppe hinauftastete, fand ich auf dem niederen Mäuerchen, auf Tellern und Schüsseln, Eier, Hühner und Fisch. Es dauerte eine ganze Weile, bis die geheimnisvollen Geräusche zum Schweigen kamen und wir nachsehen konnten, wie reich wir mit einem Male waren. Da ging meine Mutter in die Küche und machte Feuer an, und ich stand draußen und sog inbrünstig den Duft in mich ein, der bei der Verbindung von heißem Öl, Zwiebeln, gehacktem Hühnerfleisch und Rosmarin entsteht.

Ich wußte in diesem Augenblick nicht, was meine Eltern schon ahnen mochten, nämlich, daß die Patienten meines Vaters, diese alten Schuldner, sich abgesprochen hatten, ihm Freude zu machen auf diese Art. Für mich fiel alles vom Himmel, die Eier und das Fleisch, das Licht der Kerzen, das Herdfeuer und der schöne Kittel, den ich mir aus einem Packen Kleider hervorwühlte und so schnell wie möglich überzog. Lauf, sagte meine Mutter, und ich lief die Straße hinunter und durch den langen finsteren Tunnel, an dessen Ende es schon glühte und funkelte von buntem Licht. Als ich in die Stadt kam, sah ich schon von weitem den roten und goldenen Baldachin, unter dem der Bischof die steile Treppe hinaufgetragen wurde. Ich hörte die Trommeln und die Pauken und das Evvivageschrei und brüllte aus Leibeskräften mit. Und dann fingen die großen Glocken in ihrem offenen Turm an zu schwingen und zu dröhnen.

Don Crescenzo schwieg und lächelte freudig vor sich hin. Gewiß hörte er jetzt wieder, mit einem inneren Gehör, alle diese heftigen und wilden Geräusche, die für ihn so lange zum Schweigen gekommen waren und die ihm in seiner Einsamkeit noch viel mehr als jedem anderen Menschen bedeuteten: Menschenliebe, Gottesliebe, Wiedergeburt des Lebens aus dem Dunkel der Nacht.

Ich sah ihn an, und dann nahm ich das Blöckchen zur Hand. Sie sollten schreiben, Don Crescenzo. Ihre Erinnerungen. – Ja, sagte Don Crescenzo, das sollte ich. Einen Augenblick richtete er sich hoch auf, und man konnte ihm ansehen, daß er die Geschichte seines Lebens nicht geringer einschätzte als das, was im Alten Testament stand oder in der Odyssee. Aber dann schüttelte er den Kopf. Zuviel zu tun, sagte er.

Und auf einmal wußte ich, was er mit all seinen Umbauten und Neubauten, mit der Bar und den Garagen und dem Aufzug hinunter zum Badeplatz im Sinne hatte. Er wollte seine Kinder schützen vor dem Hunger, den traurigen Weihnachtsabenden und den Erinnerungen an eine Mutter, die Säcke voll Steine schleppt und sich hinsetzt und weint.

Bertolt Brecht

Das Paket des lieben Gottes

Eine Weihnachtsgeschichte

»Nehmt eure Stühle und eure Teegläser mit hier hinter den Ofen und vergeßt den Rum nicht. Es ist gut, es warm zu haben, wenn man von der Kälte erzählt.

Manche Leute, vor allem eine gewisse Sorte Männer, die etwas gegen Sentimentalität hat, haben eine starke Aversion gegen Weihnachten. Aber zumindest ein Weihnachten in meinem Leben ist bei mir wirklich in bester Erinnerung. Das war der Weihnachtsabend 1908 in Chicago.

Ich war anfangs November nach Chicago gekommen, und man sagte mir sofort, als ich mich nach der allgemeinen Lage erkundigte, es würde der härteste Winter werden, den diese ohnehin genügend unangenehme Stadt zustande bringen könnte. Als ich fragte, wie es mit den Chancen für einen Kesselschmied stünde, sagte man mir, Kesselschmiede hätten keine Chancen, und als ich eine halbwegs mögliche Schlafstelle suchte, war alles zu teuer für mich. Und das erfuhren in diesem Winter 1908 viele in Chicago, aus allen Berufen.

Und der Wind wehte scheußlich vom Michigan-See herüber durch den ganzen Dezember, und gegen Ende des Monats schlossen auch noch eine Reihe großer Fleischpackereien ihren Betrieb und warfen eine ganze Flut von Arbeitslosen auf die kalten Straßen.

Wir trabten die ganzen Tage durch sämtliche Stadtviertel und suchten verzweifelt nach etwas Arbeit und waren froh, wenn wir am Abend in einem winzigen, mit erschöpften Leuten angefüllten Lokale im Schlachthofviertel unterkommen konnten. Dort hatten wir es wenigstens warm und konnten ruhig sitzen.

Und wir saßen, solange es irgend ging, mit einem Glas Whisky, und wir sparten alles den Tag über auf für dieses eine Glas Whisky, in das noch Wärme, Lärm und Kameraden mit einbegriffen waren, all das, was es an Hoffnung für uns noch gab.

Dort saßen wir auch am Weihnachtsabend dieses Jahres und das Lokal war noch überfüllter als gewöhnlich und der Whisky noch wässeriger und das Publikum noch verzweifelter. Es ist einleuchtend, daß weder das Publikum noch der Wirt in Feststimmung geraten, wenn das ganze Problem der Gäste darin besteht, mit einem Glas eine ganze Nacht auszureichen, und das ganze Problem des Wirtes, diejenigen hinauszubringen, die leere Gläser vor sich stehen hatten.

Aber gegen zehn Uhr kamen zwei, drei Burschen herein, die, der Teufel mochte wissen woher, ein paar Dollar in der Tasche hatten, und die luden, weil es doch eben Weihnachten war und Sentimentalität in der Luft lag, das ganze Publikum ein, ein paar Extragläser zu leeren. Fünf Minuten darauf war das ganze Lokal nicht wiederzuerkennen.

Alle holten sich frischen Whisky (und paßten nun ungeheuer genau darauf auf, daß ganz korrekt eingeschenkt wurde), die Tische wurden zusammengerückt, und ein verfroren aussehendes Mädchen wurde gebeten, einen Cakewalk zu tanzen, wobei sämtliche Festteilnehmer mit den Händen den Takt klatschten. Aber, was soll ich sagen, der Teufel mochte seine schwarze Hand im Spiele haben, es kam keine rechte Stimmung auf.

Ja, geradezu von Anfang an nahm die Veranstaltung einen direkt bösartigen Charakter an. Ich denke, es war der Zwang, sich beschenken lassen zu müssen, der alle so aufreizte. Die Spender dieser Weihnachtsstimmung wurden nicht mit freundlichen Augen betrachtet. Schon nach den ersten Gläsern des gestifteten Whiskys wurde der Plan gefaßt, eine regelrechte Weihnachtsbescherung, sozusagen ein Unternehmen größeren Stiles, vorzunehmen.

Da ein Überfluß an Geschenkartikeln nicht vorhanden war, wollte man sich weniger an direkt wertvolle und mehr an solche Geschenke halten, die für die zu Beschenkenden passend waren und vielleicht sogar einen tieferen Sinn hatten.

So schenkten wir dem Wirt einen Kübel mit schmutzigem Schneewasser von draußen, wo es davon gerade genug gab, ›damit er mit seinem alten Whisky noch ins neue Jahr hinein ausreichte‹. Dem Kellner schenkten wir eine alte erbrochene Konservenbüchse, ›damit er wenigstens ein anständiges Servicestück hätte‹, und einem zum Lokal gehörigen Mädchen ein schartiges Taschenmesser, ›damit sie wenigstens die Schicht Puder vom vergangenen Jahr abkratzen könnte‹.

Alle diese Geschenke wurden von den Anwesenden, vielleicht nur die Beschenkten ausgenommen, mit herausforderndem Beifall bedacht. Und dann kam der Hauptspaß.

Es war nämlich unter uns ein Mann, der mußte einen schwachen Punkt haben. Er saß jeden Abend da, und Leute, die sich auf dergleichen verstanden, glaubten mit Sicherheit behaupten zu können, daß er, so gleichgültig er sich auch geben mochte, eine gewisse unüberwindliche Scheu vor allem, was mit der Polizei zusammenhing, haben mußte. Aber jeder Mensch konnte sehen, daß er in keiner guten Haut steckte.

Für diesen Mann dachten wir uns etwas ganz Besonderes aus. Aus einem alten Adreßbuch rissen wir mit Erlaubnis des Wirtes drei Seiten aus, auf denen lauter Polizeiwachen standen, schlugen sie sorgfältig in eine Zeitung und überreichten das Paket unserm Mann.

Es trat eine große Stille ein, als wir es überreichten. Der Mann nahm das Paket zögernd in die Hand und sah uns mit einem etwas kalkigen Lächeln von unten herauf an. Ich merkte, wie er mit den Fingern das Paket anfühlte, um schon vor dem Öffnen festzustellen, was darin sein könnte. Aber dann machte er es rasch auf.

Und nun geschah etwas sehr Merkwürdiges. Der Mann nestelte eben an der Schnur, mit der das ›Geschenk‹ verschnürt war, als sein Blick scheinbar abwesend auf das Zeitungsblatt fiel, in das die interessanten Adreßbuchblätter geschlagen waren. Aber da war sein Blick schon nicht mehr abwesend. Sein ganzer dünner Körper (er war sehr lang) krümmte sich sozusagen um das Zeitungsblatt zusammen, er bückte sein Gesicht tief darauf herunter und las. Niemals, weder vor- noch nachher, habe ich je einen Menschen so lesen sehen. Er verschlang das, was er las, einfach. Und dann schaute er auf. Und wieder habe ich niemals, weder vor- noch nachher, einen Mann so strahlend schauen sehen wie diesen Mann.

Da lese ich eben in der Zeitung, sagte er mit einer verrosteten, mühsam ruhigen Stimme, die in lächerlichem Gegensatz zu seinem strahlenden Gesicht stand, daß die ganze Sache einfach schon lang aufgeklärt ist. Jedermann in Ohio weiß, daß ich mit der Sache nicht das Geringste zu tun hatte. Und dann lachte er.

Und wir alle, die erstaunt dabei standen und etwas ganz anderes erwartet hatten und fast nur begriffen, daß der Mann unter irgendeiner Beschuldigung gestanden und inzwischen, wie er eben aus diesem Zeitungsblatt erfahren hatte, rehabilitiert worden war, fingen plötzlich an, aus vollem Halse und fast aus dem Herzen mitzulachen, und dadurch kam ein großer Schwung in unsere Veranstaltung, die gewisse Bitterkeit war überhaupt vergessen und es wurde ein ausgezeichnetes Weihnachten, das bis zum Morgen dauerte und alle befriedigte.

Und bei dieser allgemeinen Befriedigung spielte es natürlich gar keine Rolle mehr, daß dieses Zeitungsblatt nicht wir ausgesucht hatten, sondern Gott.«

Die guten Investitionen

Lisa St Aubin de Terán
Ein Haus in Italien

In Venedig hatte man auf die Neuigkeit, daß wir nach Umbrien führen, um Immobilien anzusehen, verächtlich reagiert, das aber war nur die übliche Verachtung für alles, was nicht zur Lagunenstadt gehörte. Der Sieneser Kellner, der uns am Vorabend unseres Abenteuers das Essen servierte, wurde viel präziser: Die Umbrier seien ein unzivilisierter Haufen Banditen und Bauern, die ihr Essen nie salzten, nicht kochen könnten und unter unansehnlichen Kröpfen litten. Sie beherrschten, wie er uns versicherte, nicht einmal die Grundregeln der Architektur und lebten in Hütten, der Armut, Bären und Wölfen zur Beute. Diese Beschreibung erinnerte an das, was wir über die Toskaner gehört hatten, als wir von der milden ligurischen Küste nach Siena gezogen waren. Bären und Wölfe allerdings waren neu, und ich begann, von einem Bärenhaus zu träumen – einem gotischen Raum mit Steinboden, in dem ein Bär die kurzen Winter verschlafen könnte.

Wir waren fast da, bevor wir losgefahren waren. Bereits um acht Uhr saßen wir in Perugia im Hotel Brufani und stocherten in den Resten eines üppigen englischen Frühstücks. Dieses Etablissement war im vergangenen Jahrhundert speziell nach den Wünschen englischer Touristen gebaut worden. Ich bin mit Byron, Keats und Shelley aufgewachsen: Ich habe Italien vergöttert, wie ein Pilger aus der Ferne Mekka vergöttern mag, fest entschlossen, eines Tages hinzufahren. Als junges Mädchen hatte ich wegen der Aussicht geheiratet, in Italien zu leben. Ich kann mich kaum an Zeiten erinnern, zu denen ich nicht in diese Vorstellung verliebt war. Ich saß auf dem Corso Vanucci im Freien, wo sich der pastellrosa- und elfenbeinfarbene umbrische Marmor in der Morgensonne erwärmte, von palastartigen Banken und Büros umgeben, die grau-grünen Berge auf der einen, die große Fontana Maggiore aus der Renaissance auf der anderen Seite, und ich verliebte mich in Umbrien. Allerdings verliebe ich mich ständig in Orte. Ich war schon in so viele Orte verliebt, daß ich mich, wie bei alten Liebhabern, nicht mehr an alle Namen erinnern kann.

Der Ausflug zum Schloß war von dem Moment an zum Scheitern verurteilt, als der Verkäufer nach zwanzig Minuten Geholpere über einen steinigen Weg sein Auto anhielt, es parkte und uns in einen Wagen mit Allradantrieb bugsierte, der dem örtlichen Landvermesser gehörte. Ein Pfad führte uns durch Wälder und Felder, bis wir, fünfzehn mühevolle Minuten später, an einem der wenigen unattraktiven Aussichtspunkte dieses Morgens anhielten.

»Und das«, sagte der Verkäufer und wedelte beide Arme in Richtung einer kaum wahrnehmbaren Delle in den Brennesseln rundum, »dürfte das Amphitheater sein!« Bei näherem Nachfragen erwies sich diese Idee als Produkt seiner persönlichen Phantasie.

Von außen war sofort klar, daß die fotokopierte Fotografie dem Gebäude, wenn überhaupt, noch geschmeichelt hatte. Drinnen gab es eine hochmoderne Kochnische mit eingebauter Dusche, eine kleine Eingangshalle mit Zementboden sowie einem riesigen Kamin aus dem vierzehnten Jahrhundert, den man aus der Außenwand unmittelbar dahinter gerissen hatte, wo nun ein Loch von etwa vier auf vier Metern klaffte. Es gab nicht nur keine Dächer, es gab auch weder Fußböden noch Decken, von der winzigen Wohnung abgesehen. Wo der »drei Meter breite Renaissance-Treppenaufgang mit Impruneta-Kacheln« angekündigt war, befand sich ein weiteres Loch mit schwachen rötlichen Spuren an der Wand, die, wie forensische

Untersuchungen ergaben, Terrakotta hätten gewesen sein können.

Etwa hundert Meter weiter, durch einige Jahrhunderte Geröll, das inzwischen fast wieder zu landwirtschaftlicher Nutzfläche geworden war, lag der sagenumwobene Stall mit Kreuzgewölbe. Darüber thronte ein nagelneuer Bungalow. Mit etwas weniger Gestrüpp dazwischen wäre ein nachbarliches Händeschütteln möglich gewesen, ohne daß eine der beiden Parteien das eigene Haus hätte verlassen müssen.

An der »Schloß«wand oder dem, was davon übrig war, blieb gerade genug Platz, um statt eines Gartens ein Spalier schmaler Bäume unterzubringen. Wo mehr als fünfzig Steine an einem Fleck zusammengeblieben waren, verkündeten breite Mauerrisse quer über die ehemals Heilig Römische Fassade »Epizentrum«.

Unterdessen spulte der Verkäufer unbeirrt sein Programm herunter, er pries die zahlreichen Möglichkeiten des Anwesens und bediente sich dabei jener speziellen Makler-Alchimie, die Katastrophen zu ausgesprochenen Glücksfällen werden läßt. Auf diese Weise verwandelte sich das Gebäude im Handumdrehen zu einem Projekt für viele High-Tech-Kochnischen mit angebauten Minnesängergalerien sowie mehreren ineinandergehenden Innenhöfen. Die Innenhöfe führten zu jenen Teilen des Bauwerks, die bereits abgerissen worden waren.

Ich habe schon Ruinen gesehen, für die ich fast meine Seele verkauft hätte, aber diese gehörte nicht dazu. Angeblich brachte die römische Armee die Brennessel nach Großbritannien, um der Kälte Herr zu werden. Die römischen Soldaten peitschten ihre nackten Körper damit und vergaßen vor Schmerzen das Frieren. Diese Erinnerung an das alte Rom, die gewöhnliche Brennessel, wuchs überall, drinnen und draußen. Auf dem Weg zu unserem Auto und dessen soeben ruinierter Federung rieb ich meine angeschwollenen Hände, als der winzige örtliche Landvermesser fragte:

»Möchten Sie woanders etwas besichtigen? Es ist nicht weit, und es ist etwas völlig anderes.«

Der Verkäufer, der sich als Allround-Talent mit Gespür für Menschen und Geschäft erwies, fuhr dann mit uns etwa dreißig Kilometer weiter, um uns eine fünfstöckige Villa zu zeigen.

Beim Anblick eines schönen Hauses oder Gartens setzt mein Herz einen Schlag aus. Als Kind ging ich sonntags in den Londoner Botanischen Garten in Kew. Die Ferien verbrachten wir mit der Besichtigung vornehmer englischer Landhäuser (gegen eine geringe Gebühr und jeweils für mehrere Stunden). Sonntagabends in Clapham durchkämmte ich mit meiner Mutter und unser beider Größenwahn die Immobilienanzeigen der *Sunday Times*. Wir phantasierten ständig, mal dieses, mal jenes Schloß zu kaufen und zu beziehen. Über diese Kindheitserinnerungen hatte sich das Bild meines eigenen Traumhauses geschoben; als unsere Wagenkolonne an einer Dreierreihe ehrwürdiger Zypressen vorbei in eine Auffahrt einbog, sah ich das Haus, das ich mein Leben lang gesucht hatte. Es stand da wie eine verschmähte Schönheit, noch immer in ihren alten Sonntagsstaat gekleidet. Die aufgegebene Fassade ächzte unter einer Tonnenlast modellierter Terrakotta. Es hatte reihenweise hohe, elegante Fenster mit weißen Marmorsimsen, es hatte Dutzende von Bögen, eine Loggia, ein Dach, einen Balkon und eine Glyzinienkaskade.

Das erfaßte ich mit den ersten Blicken. Danach war ich, obwohl ich durch eins der fehlenden Fenster stieg und fast eine Stunde lang umherstöberte, so verzückt, daß ich wenig sah, woran ich mich deutlich erinnern könnte. Das Haus hatte eine freitragende weiße Marmortreppe, die schwindelerregend ohne Balustrade oder Geländer gegen Stürze über vier Stockwerke reichte. Es hatte einen verzierten weißen Marmorkamin, etwa drei Meter hoch, in einer geschwärzten Küche. Es hatte zwei Traktoren, einen Mähdrescher und einen Lastwagen, die alle in der Eingangshalle rosteten. Es hatte verrottende Schweinefüße, die irgendwo im dritten Stock von einer Drahtwäscheleine hingen. Es hatte mehrere verschlossene Türen; ich würde sagen, etwa die Hälfte des Hauses war verschlossen oder so verbarrikadiert, daß der Blick versperrt war. Erst viel später, ein Jahr später, bemerkte ich, daß diese verschlossenen Türen die einzigen Türen waren, die es in der ganzen Villa, drinnen wie draußen, noch gab. Damals war ich zu sehr in Bewunderung versunken, um Einzelheiten an dem Haus wahrzunehmen, das, wie ich wußte, *unser* Haus war.

In der Sekunde, als wir in die staubige Auffahrt einbogen, waren Robbie und ich uns einig, dieses Haus zu kaufen, und zwar egal wie. Wir stellten Listen von Freunden und Angehörigen zusammen, die sich möglicherweise an einem solchen Projekt beteiligen und unser eigenes pygmäenkleines Kapital bis zu dem für eine solche Schönheit geforderten Preis aufstocken würden. Eine Stunde später fand ich mich in einer nahen Stadt in einem kleinen Büro dabei wieder, wie ich einen Scheck über zwanzig Prozent der Kaufsumme überreichte. Im Austausch erhielt ich ein Stück liniertes Papier mit sehr vielen Namen und Geburtsdaten sowie einer beiläufigen Erwähnung des Erwerbs der Villa Orsola. Es folgte eine lange Verhandlung über die Zahlungsbedingungen für die restliche Kaufsumme. An dieser Stelle ließ meine Konzentration stark nach, denn ich kam vor Hunger fast um und war außerstande, mich für die Einzelheiten von Geldern zu interessieren, die ich nicht besaß und von denen ich auch nicht recht wußte, wie ich sie auftreiben sollte. Wir erhielten ein halbes Jahr Frist, um den Rest zu bezahlen, und ich vertraute darauf, daß in den Monaten bis dahin etwas auftauchen würde, um die Schuld zu begleichen.

Ted Hughes, Hofdichter der englischen Krone, hatte mich in die Kunst des Hauskaufs eingewiesen und mir erklärt, ich müsse erst das Haus finden, das ich haben wolle, dann müsse ich es kaufen, und erst später dürfe ich mir Gedanken über die Bezahlung machen. Nach einer Reihe von Probeläufen, die mich zwar nicht in den Bankrott, aber an dessen Rand getrieben hatten, erschien mir diese Strategie für ihren Bereich fast so vernünftig wie das legendäre Parkinsonsche Gesetz. Die Villa Orsola war größer als alles, woran ich mich je getraut hatte, aber schließlich handelte es sich um mein Traumhaus. Der *compromesso* wurde unterschrieben, die Anzahlung von zwanzig Prozent in Form eines Euroschecks (mit der üblichen theoretischen Beschränkung auf 300 Pfund) überreicht, und wir waren die neuen Besitzer eines unfertigen *palazzo*.

Das Haus war hohl; es fehlten die einfachsten Dinge wie Fußböden und Türen, Abflußrohre und Wasser. Die Innenausstattung bestand nur aus Worten: den zahlreichen Versionen seiner Geschichte und den Anekdoten rund um seine Vergangenheit. Am ersten Tag hörten wir, die Villa Orsola stamme aus dem siebzehnten Jahrhundert, aus dem achtzehnten Jahrhundert, aus dem neunzehnten Jahrhundert, sie sei für einen berühmten Architekten, einen Spieler, einen Adligen, einen General, einen Franzosen, einen Griechen, einen Deutschen erbaut worden – und so weiter durch alle Berufe und Nationalitäten. Nicht zwei Geschichten stimmten überein, und jeder schien etwas über *il palazzo* zu wissen. Deutlich wurde allerdings, daß das scheinbar verlassene Gemäuer am Rande dem Zentrum des Dorfs irgendwie sehr nah war und daß es viele Generationen mit einer Intensität in seine kahlen Räume gezogen hatte, die sich zwischen Magnetismus und Magie bewegte.

Hinter Scheinwänden, die im *palazzo* eingezogen worden waren, wurde während des letzten Krieges das Getreide des Dorfes vor den Deutschen versteckt. Auf dem groben Schotter davor hatten die alten Männer als Buben Fußball gespielt, bevor man den neuen Fußballplatz baute. Seine baufälligen Bögen waren das Ziel von Schulausflügen; in seinen Hallen fanden Dorffeste statt; es gab Tanzveranstaltungen, Bälle und Rendezvous. Die Villa Orsola war nie bewohnt, aber auf ihren vielen hundert Quadratmetern waren, von jungfräulichem Stuck umgeben, zahllose Kinder gezeugt worden.

Später am gleichen Abend fuhren wir, von Glück benebelt, nach Siena zurück. Wir würden einen Film entwickeln lassen, aber bis dies geschehen war, mußten wir uns mit unseren Erinnerungen an die Villa begnügen. Ich hatte aufgrund der Aufregung und der Anstrengung, die es bedeutete, durch den *compromesso*-Vorvertrag mit seinen vielen Klauseln und Unterabschnitten gehetzt zu werden, eine neue persönliche Bestleistung in Schläfrigkeit erreicht. Der geforderte Preis war so niedrig, daß es unhöflich gewesen wäre, wegen Kleinigkeiten pingelig zu werden, also hatte ich sie an mir vorüberziehen lassen und Tagträumen nachgehangen. Als wir über die Autobahn rollten, bat ich Robbie, mir nochmals den Namen des Weilers zu nennen, in den wir uns gerade eingekauft hatten, sowie des nahen Dorfes, weil mir beides irgendwie entfallen war. Robbie war nichts entfallen – mit seinen überaus dürftigen Italienischkenntnissen hatte er sie gar nicht erst gehört, sondern angenommen, daß ich es wissen würde, schließlich war ich die Sprachkundige und Praktische von uns beiden. Und so brausten wir über die *autostrada*, entweder Opfer eines Betruges oder die Besitzer eines namenlosen Haufens exzellent ornamentierten Mauerwerks in direkter Nähe eines Dorfes, das keiner von uns wiederfinden konnte, nicht einmal auf einer Karte.

Julio Cortázar

Die guten Investitionen

Gómez ist ein schlichter und bescheidener Mensch, der vom
Leben nicht mehr verlangt als ein Plätzchen in der Sonne,
die Tageszeitung mit ihren aufregenden Nachrichten und einen
gekochten Maiskolben mit wenig Salz, aber reichlich Butter.
Da wird es niemanden wundern, daß dieser Mitbürger, nachdem er genügend Jahre und Geld beisammen hat, aufs Land
geht, sich eine Gegend mit sanften Hügeln und unschuldigen
Dörfern aussucht und einen Quadratmeter Land kauft, um
dort, wie man sagt, daheim zu sein.

Das mit dem einen Quadratmeter mag man seltsam finden,
und das wäre es unter gewöhnlichen Umständen auch, das
heißt ohne Gómez und ohne Literio. Da Gómez nur an diesem
kleinen Stück Land interessiert ist, wo er seinen grünen Liegestuhl aufstellen, die Zeitung lesen und sich auf einem Primuskocher seinen Maiskolben kochen kann, dürfte es schwerhalten,
ein solches zu finden, weil ja niemand nur einen Quadratmeter
besitzt, sondern unendlich viele, und einen Quadratmeter inmitten oder am Rande der anderen Quadratmeter zu verkaufen schafft Probleme mit dem Katasteramt, mit den Anrainern,
mit der Steuer, und zudem ist es lächerlich, man tut so was einfach nicht. Und als Gómez, den Liegestuhl, den Primuskocher
und die Maiskolben mit sich herumschleppend, schon ver-
zagen will, nachdem er einen großen Teil der Täler und Hügel
vergeblich durchwandert hat, stellt sich heraus, daß Literio
zwischen zwei Grundstücken ein Plätzchen besitzt, das genau
einen Quadratmeter mißt und das sich, weil es zwischen zwei
Grundstücken liegt, die zu verschiedenen Zeiten gekauft wurden, seinen eigenen Charakter bewahrt hat, obgleich es dem

Anschein nach nur aus Weidegras und einer nach Norden weisenden Distel besteht. Der Notar und Literio können sich beim Unterschreiben vor Lachen nicht halten, doch zwei Tage später hat sich Gómez bereits auf seinem Grundstück eingerichtet, wo er den ganzen Tag mit Lesen und Essen verbringt, bis er am Abend in den Gasthof des Dorfes zurückkehrt, wo er sich ein schönes Zimmer genommen hat, denn Gómez mag verrückt sein, aber er ist nicht idiotisch, das geben selbst Literio und der Notar zu.

So verlebt er den Sommer in den Tälern sehr angenehm, obgleich von Zeit zu Zeit Touristen, die von der Geschichte gehört haben, auftauchen, um Gómez in seinem Liegestuhl lesen zu sehen. Eines Abends erkühnt sich ein Tourist aus Venezuela, Gómez zu fragen, warum er nur einen Quadratmeter Land gekauft hat und was man mit diesem Stückchen anfangen könne, außer seinen Liegestuhl dort aufzustellen, und der venezolanische Tourist und die anderen Schaulustigen hören verdutzt die folgende Antwort: »Es scheint Ihnen nicht bekannt zu sein, daß sich ein Grundstück von der Oberfläche bis zum Mittelpunkt der Erde erstreckt. Nun rechnen Sie mal.« Niemand rechnet, aber alle haben gleichsam die Vision eines quadratischen Brunnens, der hinab- und hinab- und hinabführt bis wer weiß wohin, und das ist noch beeindruckender, als wenn einer drei Hektar besäße und man sich ein entsprechend großes Loch vorstellen müßte. Als drei Wochen später die Ingenieure eintreffen, wird jedem klar, daß man einem Venezolaner nichts vormachen kann und daß er Gómez' Geheimnis erraten hat: in dieser Gegend muß es Erdöl geben. Literio ist der erste, der erlaubt, daß man ihm seine Luzernen- und Sonnenblumenfelder verwüstet und dort wahnwitzige Bohrungen durchführt, die die Luft mit ungesundem Qualm erfüllen; die anderen Grundbesitzer bohren Tag und Nacht, an den verschiedensten

Stellen, und es kommt sogar so weit, daß ein armes Mütterchen unter Tränen das Ehebett dreier Generationen ehrbarer Bauern von seinem Platz rücken muß, weil die Ingenieure mitten im Schlafzimmer einen neuralgischen Punkt entdeckt haben. Gómez beobachtet dieses Treiben von fern, ohne sich viel daraus zu machen, obgleich der Lärm der Maschinen ihn von der Lektüre der Zeitung ablenkt. Niemand hat ihn wegen seines Grundstücks angesprochen, und er ist nicht derjenige, der zuerst den Mund aufmacht, und antwortet nur auf Fragen. So antwortet er mit *nein*, als der Beauftragte der venezolanischen Erdölgesellschaft seinen Mißerfolg eingesteht und Gómez aufsucht, um ihm seinen Quadratmeter abzukaufen. Der Beauftragte hat Order, zu jedem Preis zu kaufen, und beginnt Zahlen zu nennen, die pro Minute um fünftausend Dollar steigen, mit dem Ergebnis, daß Gómez nach drei Stunden seinen Liegestuhl zusammenklappt, den Primuskocher und den Maiskolben einpackt und ein Papier unterschreibt, das ihn zum reichsten Mann des Landes macht, vorausgesetzt, daß man auf seinem Grundstück Erdöl findet, und genau eine Woche später findet man Erdöl, und zwar in Form einer Fontäne, die Literio, seine Familie und alle Hühner der Nachbarschaft von oben bis unten besudelt.

Gómez, der sich das nicht hatte träumen lassen, kehrt in die Stadt zurück, wo er sich im obersten Stock eines Wolkenkratzers ein Appartement mit Sonnenterrasse kauft, um dort in Ruhe seine Zeitung zu lesen und seinen Maiskolben zu kochen, ohne von boshaften Venezolanern und von schwarz gefärbten Hühnern gestört zu werden, die gackernd hin und her rennen, mit einer Entrüstung, die dieses Federvieh immer bekundet, wenn man es mit Rohöl übergießt.

Joachim Ringelnatz
Es fällt den Matrosen nicht schwer

Es fällt den Matrosen nicht schwer, sich in fremden Häfen zurechtzufinden. Ihr Interessenradius ist klein. Die wenigen Ausdrücke sind leicht erlernt, wenigstens in den Hauptsprachen Englisch, Französisch, Deutsch und Spanisch.

Aber auch darüber hinaus verständigen sie sich leicht mit den Hafenleuten und Seeleuten anderer Völker. Ihre Ziele und Wünsche sind meist dieselben. Essen, Trinken und Weiber, meist in den dürftigsten Stadtteilen. Sie sprechen ein Mischmasch aus vielerlei Küstensprachen. Platt und Messingsch, Spanisch und Skandinavisch, Holländisch und Pidgin-English oder Bêche de mer.

So finden sich internationale Matrosen auch an Bord rasch zusammen. Einig im gleichen Beruf, in gleichen Instinkten und gebunden an gewisse allgemeine, zum Teil ungeschriebene Seemannsgesetze.

Da gibt es einen Ausdruck aus Sprachverquickung »mi no savi«, den die Seeleute und Küstenbewohner aller Länder verstehen und der so viel bedeutet wie »Kannitverstan«. Mit diesem Ausdruck habe ich einmal ein gutes Geschäft gemacht. Ich lag mit einem Dampfer in Cardiff. Mein Haar war überlang und verwildert, und so ging ich, um es schneiden zu lassen, an Land, in den ersten besten Barbierladen. Ich hatte einen Schilling in der Tasche, nach meiner Erfahrung also reichlich mehr Geld, als ich brauchte.

Der Friseur machte sich eifrig an seine Arbeit, und wir führten dabei ein sehr lebhaftes, scherzhaft streitendes Gespräch auf Englisch über den damals aktuellen Burenkrieg. Ich trat für die Buren ein, der Friseur für die Engländer. Als er endlich fertig war, entstand ein seltsamer Dialog. Ich fragte: »Was bin ich Ihnen schuldig?«

Er sagte: »Zwei Schilling.«

Ich sagte: »Unmöglich, Sie scherzen wohl?«

Er schob meinen hingelegten Schilling zurück und sagte plötzlich sehr unfreundlich: »Nein. Zwei Schilling.«

Ich schob den Schilling vor. »Ich habe nur einen Schilling bei mir.«

Er schob achselzuckend den Schilling zurück. »Zwei Schilling.«

Ich schob den Schilling vor, legte meine silberne Uhr dazu und sagte: »Ich bin auf dem Schiff so und so. Wir liegen dort und dort. Ich werde den anderen Schilling holen und bringen.«

Er schob Geld und Uhr zurück. »Nein. Zwei Schilling, oder ich rufe einen Polizisten.«

Ich zuckte die Achseln und steckte Uhr und Schilling wieder ein. Der Barbier verließ den Laden und schloss die Tür von außen ab.

Ich saß sehr unbehaglich da und nahm die Sache viel zu tragisch. Hin und her sinnend, fasste ich endlich einen Entschluss, über dessen Wirkung ich mir absolut nicht klar war.

Nach geraumer Zeit betrat der Barbier wieder den Laden. Ihm folgte einer jener langen und durch einen langen Helm noch verlängerten englischen Policemen. Der wandte sich sofort barsch an mich: »Sie wollen diesen Mann nicht bezahlen?«

Ich sah den Schutzmann dumm verständnislos an und sagte: »*Mi no savi.*«

Er: »Sprechen Sie nicht englisch?«

Ich: »*Mi no savi.*«

Der Barbier wurde krebsrot. »Wundervoll englisch spricht er«, schrie er, »wir haben uns über den Krieg unterhalten.«

Der Polizist zu mir: »Was sagen Sie dazu?«

Ich, dumm wie bisher: »*Mi no savi.*«

»Wo kommen Sie her?« »Zu welchem Schiff gehören Sie?« »Wo liegt Ihr Schiff?« Ich antwortete auf alles: »*Mi no savi!*«

Der Schutzmann und der Barbier zogen sich zurück und flüsterten miteinander. Dann trat der Schutzmann ruhig auf mich zu und – unbetont und ohne irgendeine bezeichnende Handbewegung dazu zu machen – sagte er: »Gut, dann scheren Sie sich zur Hölle.«

Gottlob, ich merkte diese Falle und blieb still sitzen und antwortete wieder dumm verständnislos: »*Mi no savi.*«

Im nächsten Moment packte mich der Policemen am Kragen, der Barbier riss die Tür auf. Ich befand mich plötzlich auf der Straße und ging mit meinem Schilling vergnügt eins trinken. Auf das Wohl dieses Gauners und Dummkopfes.

Für das, was nun folgt

Cees Nooteboom

Für das, was nun folgt

Für das, was nun folgt, kann ich mich nur schämen, und sei es bloß wegen meines Alters. Denn Männer meines Alters sitzen nachts nicht in leeren Klassenzimmern. Ich hatte die letzten Sätze aufgeschrieben und mich danach mühsam aus der Bank gequält. Auf einmal überkam mich die Vorstellung, die Ferien seien vorbei, eine grölende Klasse stürme herein und finde mich hier als Eindringling vor, wie einer, der durch das Wachstum seiner Knochen, durch das überall obszöne Anschwellen seines Fleisches, durch das Haar, das aus seinem Gesicht wächst, und den Gestank der Ducados das Recht verloren hat, sich im Territorium der Kinder aufzuhalten, es aber trotzdem will, ein Schänder.

Sie würden hereinkommen und mich als einen schon vom Alter Infizierten entlarven, der vielleicht schon ein bißchen nach Tod riecht und der dennoch, oder vielleicht gerade deshalb, in einer Welt leben will, in der die gemeinen Regeln der Älteren noch nicht gelten, in der das Dasein noch keine Geschichte ist, die stimmt, eine Welt, in der alles noch geschehen muß, und die, weil es sich noch nicht ereignet hat, noch alle Formen annehmen kann, ganz einfach, weil sie noch nicht wie die meine fertig war.

Sie würden grölend hereinstürzen, mich mit meinem viel zu großen, vollgeschriebenen Schulheft sehen, das mir niemand abverlangt hat, sie würden den Betrug, die Lüge wittern und auf einmal ganz still werden, all die klaren Augen würden mich mit der Abneigung ansehen, die das Unmögliche nun einmal hervorruft. Sie würden nicht einmal lachen, sie würden langsam hinausgehen und einen anderen Erwachsenen holen, einen aus meiner eigenen, entschiedenen Welt, wo sich niemand abends an dein Bett setzt, um dir eine Geschichte zu erzählen, wenn du darum bittest, wo niemand einfach so eine Sonne malt mit viel zu langen Strahlen über einem Berg, der kleiner ist als das Haus, das danebensteht.

Ich pfiff vor mich hin, aber es hatte keinen Klang. Dann schaute ich hinaus und sah, was ich den ganzen Monat über hätte sehen können, aber nie gesehen habe, ein Himmel-und-Hölle-Spiel, eine mit Kreide auf den Boden gemalte Figur aus Vierecken, die beziffert sind, quer und dann wieder längs, von denen ich immer meine, daß sie in primitiver Weise das Schicksal darstellen. Man legt eine Strecke zurück, und etwas geht gut oder schlecht, so ähnlich ist das. Knaben spielen es nicht, zumindest kann ich mich nicht erinnern, es je gesehen zu haben. Irgendein Mensch an einer Universität hat zweifellos eine Studie über das Himmel-und- Hölle-Spiel geschrieben und einen Zusammenhang mit Initiationsriten, der Kabbala oder Gott weiß was gefunden. Doch das beschäftigte mich jetzt nicht, denn ich spürte ein dummes und unbezwingbares Verlangen zu hüpfen.

Zunächst wollte ich es unterdrücken, aber schließlich war es drei Uhr nachts, und auf dem Schulhof konnte mich keiner sehen. Ich ging hinaus, schaute mir die Felder an und merkte, daß ich nicht mehr wußte, wie es ging, was mich jedoch nicht davon abhielt.

Auf einmal sprang ich, so wie man zu Beginn der Saison erstmals ins Meer springt, auf einem Bein ins erste Feld und glitt mit einem kleinen Sprung ins nächste Feld hinein. Ich wußte nicht, was ich tat, doch ich war glücklich. Die Nacht war klar, die Uhr schlug drei, und Alfonso Tiburón de Mendoza hüpfte auf dem Schulhof. Wenn zwei Felder nebeneinander lagen, sprang ich mit einem genauso anmutigen Sprung, wie ich es bei den kleinen Mädchen auf der Straße gesehen hatte, mit gespreizten Beinen hinein und hüpfte auf einem Bein weiter. Ich kannte den Sinn der Sache nicht, doch ich war glücklich, weil ich so hüpfend das Gefühl hatte, noch immer an meiner Geschichte zu schreiben, die drinnen fertig auf dem Tisch lag, das lächerliche Kuckucksei, das ich ins Nest von mindestens zehn Vögeln gleichzeitig gelegt hatte. Erst als ich ganz außer Atem war, hörte ich auf und setzte mich auf den Boden, wie ich das früher getan hatte, als ich meinen Kopf noch am Fenstersims aus Quadersteinen reiben konnte. Das ging heute nicht mehr, doch das kümmerte mich jetzt nicht. Der Mond war über das Dach der Schule gestiegen, und in den Himmel spähend sah ich Orion, meinen Lieblingsstern, gefolgt von Sirius, meinem Lieblingshund. Ein weißer Lichtfleck lag auf dem strengen Viereck des Spielplatzes, als hätte es geschneit; sonst war nichts zu sehen.

Und da saß ich noch lange und glücklich.

Eva Demski

Hugos letzter Winter

Wann er zum erstenmal in meinem Garten aufgetaucht ist,
weiß ich nicht mehr. Die Kater und Katzen der Umgebung hatten gemerkt, daß es bei mir meistens was zu fressen gab, und
sie schienen es einander mitzuteilen. Den meisten sah man an,
daß sie ein gutbürgerliches Zuhause hatten und nur aus Aben-
teuerlust auswärts essen gingen. Es gab aber auch andere, magere, mißtrauische, bei denen das harte Freigängerleben Spuren hinterlassen hatte. So einer war der dunkel getigerte Kater
mit dem düsteren Blick, dem ich irgendwann den Namen Hugo gab. Manchmal ließ er sich monatelang nicht blicken, und
ich dachte, das freie Leben hätte ihn zur Strecke gebracht.
Wenn er dann doch wiederkam, freute ich mich jedesmal. Er
ließ sich aber nicht zähmen, sondern verschlang hastig, was
ich ihm hinstellte, und ging dann wieder seiner Wege. Eines
Tages kam er in kläglichem Zustand, und er schlich, was nie
zuvor geschehen war, durch die offene Terrassentür in meine
Wohnung. Es ging ihm so schlecht, daß er sich reglos untersu-
chen ließ – das war nicht Vertrauen, sondern eine Art Kapitula-
tion. Offenbar war er mit einem Hund aneinandergeraten, und
ziemlich abgemagert war er auch. Im Nacken hatte er eine böse
Bißwunde und plötzlich, als er mir so nah war, sah ich: Er ist
ja alt. Ein alter Kämpe, fast am Ende seiner Kräfte. Ich tat Wasser und mangels anderer Desinfektionsmittel Grappa in eine
Schüssel und wusch ihm die Wunde aus. Dann schmierte ich
Heilsalbe drauf. Er ließ sich alles gefallen, ruhte auf meiner
Couch noch etwas aus, ließ sogar ein rostiges Schnurren hören – es klang, als könnte er sich nur schwach daran erinnern,
wie Schnurren geht –, zum Schluß fraß er gemächlich eine gro-

ße Schüssel Futter leer. Von nun an kam er regelmäßig, der Biß verheilte schnell, und der Kater wurde kräftiger. Von der Wunde war unter seinem dicken, gestreiften Pelz nichts mehr zu sehen, und er hatte seinen verwegenen Blick wieder, den Blick der freien Kater. Als es kälter und schließlich Winter wurde, baute ich ihm eine warme Höhle aus Decken und Plastik in einem Gartensessel auf der Terrasse, darin schlief er. Länger als zwei, drei Tage am Stück war er nicht mehr weg. Zweitausendneun, im Frühling, brachte er ein bildhübsches und sehr junges, rothaariges Katzenfräulein mit. Er ließ ihr den Vortritt beim Fressen, weil ich hinschaute. Ich lobte ihn sehr. Das machte er aber nur ein einziges Mal. Von da an waren die beiden unzertrennlich und schliefen innig umarmt auf seinem Gartensessel. Der alte Haudegen und die tizianrote Schönheit waren ein richtiges Renaissancepaar, wie ein alter Doge mit seiner jungen Geliebten.

Wieder kam der Winter, ein sehr kalter, schneereicher Winter. Mir war aufgefallen, daß Hugo nicht mehr über die Zäune kam. Er schaute seinem leichtfüßigen rothaarigen Fräulein hinterdrein und suchte sich andere Wege. In den eisigen Nächten waren die beiden in ihrer Sesselhöhle vergraben, und mehrmals sah ich sie auch unter der Terrasse hervorkommen. Da unten, in einem Hohlraum, vor Schnee und Wind geschützt, stand noch ein uraltes Katzenhaus, das hatten sie wiederentdeckt.

Ich hatte immer Angst um die beiden, aber auch die Kälte konnte ihnen das freie Katzenleben nicht vergällen. Bis eines Morgens, als ich das angewärmte Futter rausstellte, Hugo entschlossen an mir vorbei ins Zimmer ging, Fräulein Fräulein sein ließ und sich mit den Vorderpfoten auf mein Bett hochzog. Wie steif seine Hinterbeine geworden waren! Wir lagen eine Stunde ganz nah beieinander, er schnurrte sein heiseres Liedchen und legte seinen schweren, narbigen Katerkopf in meine Hand. Irgendwann wollte er dann wieder raus, aber so, als sei es seine Pflicht, mit einer Art Ergebenheit. Das wurde für ein gutes Vierteljahr, bis in den Frühling hinein, unser Ritual. Eine Morgenstunde nur für uns beide, ganz nah beieinander, einfach akzeptierend, daß es so ist mit dem Leben und daß die Beine eben irgendwann nicht mehr wollen und die Zähne auch nicht. Früher hätte ich ihn in eine Box gesperrt und zum Tierarzt gebracht, früher, als ich noch glaubte, daß man alles managen kann, auch Alter und Krankheit. Jetzt liebte ich einfach unsere späte Beziehung, war dankbar dafür und fütterte den Kater und seine treue kleine Verlobte mit feinen Sachen. Dennoch wurde er allmählich dünner, das sah ich. Er brauchte länger, um sich auf mein Bett zu ziehen, mochte es aber nicht, wenn ich ihm helfen wollte. Manchmal lag er dann ganz reglos neben mir, ich streichelte ihn und spürte seinen narbigen Körper. Diese Liebe – ja, es war eine – wurde für mich zu einer der merkwürdigsten Erfahrungen von Nähe in meinem ganzen Leben. Für diese eine frühe Stunde, in der noch niemand anrief oder klingelte oder irgend etwas wollte oder forderte, war dieses Tier ganz bei mir und ich bei ihm. Ich sah, wie schön er war, der dunkle alte Freibeuter, und wie hart sein Leben gewesen sein mußte. Es war ein Geschenk, das er mir mit seiner freiwilligen Nähe machte. Manchmal ertappte ich mich dabei, daß ich zu ihm sagte: Bleib doch noch ein bißchen! wenn er sich schwerfällig anschickte, zurück in die Freiheit zu gehen.

Am 7. April 2010 sah ich ihn zum letzten Mal. Als er am Morgen darauf nicht kam, wußte ich, daß er nie mehr kommen würde. Dennoch suchten wir ihn, hängten Zettel auf, was man eben so tut.

Ich denke jeden Tag an ihn.

Seine kleine, rothaarige Freundin ist noch hier.

Marie Luise Kaschnitz
Adam und Eva

Als Adam und Eva gezwungen wurden, das Paradies zu verlassen, ging es ihnen gewiß lange Zeit ziemlich schlecht. Wie man hört, waren die Tiere draußen unfreundlich, der Boden steinig und das Klima rauh. Adam und Eva hatten nichts gelernt als faulenzen, und die Arbeit fiel ihnen schwer. Kaum daß sie, wie man zu sagen pflegt, auf einen grünen Zweig gekommen waren, geschah das Unglück mit den beiden ältesten Söhnen, die sie schlecht erzogen hatten, so daß der selbstgefällige Abel nun unter dem Rasen lag, während der gewalttätige Kain irgendwo herumirrte und die Eltern sehen konnten, wie sie zurechtkamen ohne den Gärtner Abel und den Jäger Kain. Aber dann wuchsen ihnen neue Kinder heran und immer wieder neue, wenigstens stelle ich mir das so vor, und auch, daß Adam und Eva ziemlich alt wurden, ehe sie zu altern begannen. Um diese Zeit hatten sie gewiß längst ein Haus, und Eva ging nicht mehr in Schürzchen aus Palmblättern umher. Obwohl beide an den Garten Eden nur noch eine schwache Erinnerung hatten, ahmten sie doch nach, was sie einmal dort gesehen hatten, indem sie einen Brunnen gruben, der dem Wasser des Lebens glich, einen Garten pflanzten und einige Tiere zähmten, die sich auf dem umfriedeten Grundstück friedlich wie die Tiere des Paradieses benahmen. Dies alles war ganz unvollkommen, aber es machte Freude, daran zu arbeiten und abends umherzugehen und darüber nachzudenken, was sich noch tun ließ. Es machte soviel Freude, daß sie mit der Zeit ganz zufrieden wurden und Adam sich manchmal selbst ein bißchen so fühlte, als sei er der liebe Gott.

Es war darum eine große Erschütterung für ihn, als er eines Tages erfuhr, daß er sterben müßte. Nicht, daß er darüber eine bestimmte Nachricht erhalten hätte. Er sah nur eines Abends ein Tier seiner Herde tot umfallen, und da er sich selbst diesem großen, starken Leittier oft verglichen hatte, kam ihm mit einemmal der Gedanke, daß er in dieser Beziehung nicht mehr und nichts Besseres sei als ein Tier. Als er zu dieser Erkenntnis gekommen war, wurde er sich verschiedener Mängel bewußt, die er vorher nicht gekannt hatte, einer Schwäche der Augen, einer Unsicherheit der Hände, einer Trübung des Gehörs. Das ist der Tod, dachte er entsetzt, als an diesem Abend ein zerbrechlicher Gegenstand seiner Hand entglitt. Was hast du denn? fragte Eva, weil er wie versteinert dastand, während sie die Scherben zusammenlas.

Diese Frage: Was hast du denn? stellte Eva noch einige Male in der folgenden Zeit. Denn Adam begann sich in der Tat wunderlich zu benehmen. Es fing damit an, daß er nicht mehr schlief in der Nacht. Er wälzte sich bald auf die eine, bald auf die andere Seite oder lag auch still auf dem Rücken und starrte zur Decke hinauf. Er konnte nicht schlafen, weil er zu viel denken mußte, aber die Gedanken, die ihn wachhielten, waren keineswegs erhabene, an den Tod oder an Gott, vielmehr drehten sie sich mit gräßlicher Beharrlichkeit um kleine häusliche Mißstände, einen Fehler in der Bewässerungsanlage, eine schadhafte Stelle im Dach. Wenn die Nacht vorüber war und alle im Hause sich wieder an ihre Arbeit begaben, überfiel ihn dann eine schreckliche Müdigkeit, und es kam vor, daß er sich gleich nach dem Frühstück wieder hinlegen mußte und eine ganze Weile liegen blieb. Das war ihm selbst verwunderlich, aber noch viel erstaunlicher war die Empfindlichkeit, die er gegenüber den verschiedensten Geräuschen an den Tag zu legen begann. Das Bellen der Hunde machte ihn rasend, noch mehr das Kreischen der Papageien und das alberne Geschrei der Affen, die in den

Bäumen hinter dem Hause spielten und von denen er sich bald einbildete, daß sie ihn verfolgten und nur zu seinem Ärger ihren törichten Lärm vollführten. Die Kinder, und zwar noch mehr die halberwachsenen als die kleinen, erregten seinen Unmut auf Schritt und Tritt. Es fiel ihm plötzlich auf, daß sie gewisse idiotische Redewendungen beständig wiederholten und daß sie, ohne die geringste Rücksicht auf ihn zu nehmen, mit schallender Stimme ihre aufreizend stupiden Lieder sangen.

Schließlich bin ich der Vater, dachte er, und ein Mann, der einiges geleistet hat und dem es lange Zeit schlecht gegangen ist, ein Mann, der Anspruch darauf erheben kann, daß man ihn respektiert. Solche Gedanken waren neu, und neu war auch der Wunsch, der ihn jetzt von Zeit zu Zeit überkam, der Wunsch nämlich, sich zu entfernen aus einer Umgebung, in der man ihn so wenig achtete und seinen Worten so wenig Aufmerksamkeit zollte. Er ging ein paarmal fort in der Nacht, bald in dieser, bald in jener Richtung, und schließlich ertappte er sich darauf, daß er bei diesen Spaziergängen etwas ganz Bestimmtes suchte: nämlich die Mauer des Gartens Eden, auf die er im Anfang, also vor vielen Jahrzehnten, herumwandernd noch manchmal gestoßen war und auf der im roten Abendhimmel die Engelwachen gestanden hatten, sehr schön, mit ihren Wolkenflügeln aus schimmerndem Grau. Aber diese Mauer war nicht mehr da, und er hörte auch bald auf, sie zu suchen. Statt allein fortzugehen, machte er immer öfter die Runde durch sein Anwesen, betrachtete alles, was er gemacht hatte, und fand es schlecht genug. Er beobachtete auch seine Kinder und fand sie faul und leichtsinnig, unfähig, das Werk weiterzuführen, das er begonnen hatte und das zu vollenden ihm nicht Zeit genug blieb. Und dann versuchte er über dies alles mit Eva zu sprechen, aber Eva lachte nur, und er war von ihrer Gleichgültigkeit aufs tiefste gekränkt.

In der folgenden Zeit fand er immer mehr Ursache, mit seiner Frau unzufrieden zu sein. Denn wenn Eva auch im Anfang seiner Verdüsterung recht lieb und freundlich gewesen war und sich bemüht hatte, ihm ein wenig Ruhe zu verschaffen, so schien sie doch von Tag zu Tag weniger um ihn besorgt zu sein. Ihre Laune war ausgezeichnet, ihr Appetit vorzüglich, und obwohl sie nicht jünger war als Adam selbst, schlief sie, ohne auch nur ein einziges Mal aufzuwachen, die ganze Nacht. Wenn er sich über den Lärm beschwerte, machte sie ein erstauntes Gesicht, wenn er über das Wetter klagte, sagte sie: Es wird schon wieder besser werden, und mit dieser Redewendung, die ihm leichtfertig und frech erschien, schob sie seine Leiden und Ängste, das einzige, das er noch hatte, in das Reich lächerlicher Grillen, denen niemand Aufmerksamkeit schuldig ist. Es fehlte nicht viel, daß sie gesagt hätte: Ach sei doch still, wenigstens meinte Adam dies herauszuhören und auch einen kleinen Ärger über seine Mutlosigkeit, und dieses Unverständnis kränkte ihn tief. Natürlich konnte er trotzdem nicht schweigen, da ja das Sagenmüssen wie Rauch zum Feuer zu diesem inneren Brande gehört. Also sprach er weiter, sprach mit einer Stimme, die ihm selbst verhaßt war, weil sie so nörglerisch und griesgrämig klang. Er beklagte sich über die Sonne und den Regen, über das Unkraut und die Schädlinge und die Kinder, und Eva sagte in der ersten Zeit noch ein paarmal: Das ist doch nicht so arg, und dann sagte sie gar nichts mehr, und er hatte den Verdacht, sie höre ihm überhaupt nicht mehr zu.

Das ist gewiß schlimm für einen Mann, der eingesehen hat, daß sein Leben nicht ewig währt, und der angesichts dieser Tatsache an dem Wert alles Geleisteten zu zweifeln beginnt. Es war schlimm für Adam, der jetzt umherging und alles, was er gemacht hatte, gering achtete und der aus seinen früheren Leiden einen glühenden Anspruch sog. Aber es erwies sich, daß dies noch längst nicht das Ärgste war. Denn das Ärgste ist nicht die Gleichgültigkeit, sondern der Verrat.

Man muß bedenken, daß Adam, der so vieles kannte, so etwas in seinem Leben nie erfahren hatte. Er war der einzige Mann, der für Eva in Frage kam, da es neben ihm nur Söhne und Enkel gab. Zwar war er früher, wenn Eva allein fortging und lange ausblieb, manchmal ein wenig unruhig geworden. Aber Eva war, wenn sie zurückkam, immer besonders strahlend und liebevoll gewesen, immer hatte sie etwas Besonderes mitgebracht, ja, es schien ihm jetzt, als habe er in seinem ganzen Leben nichts als Liebe und Freundlichkeit von ihr erfahren. Aber in dem Augenblick, in dem er sich seines Glückes bewußt wurde, war es mit diesem Glück auch schon vorbei. Denn wenn er bisher niemals in Evas Augen einen verräterischen Glanz gesehen hatte, wenn Eva sich niemals von ihm abgewendet hatte, um ihr Ohr einer anderen Stimme zu leihen: jetzt erfuhr er dies alles, alle Qualen der Eifersucht, nur daß kein Liebhaber, sondern ein Phantom sein Nebenbuhler war, kein Mann, mit dem er hätte kämpfen können, sondern das Traumbild der Jugend und des Lebens schlechthin.

Denn er sah es wohl, der Jugend und dem Leben neigte sich Eva zu. Mit einemmal gewahrte er sie auf der Seite der Kinder, ach, nicht mit Worten, aber mit mancher geheimen Zärtlichkeit, manchem vertraulich wiedergutmachenden Blick. Als Adam den ersten dieser Blicke auffing, zuckte er zusammen wie unter einem Schlag. Von da an wurde er mißtrauisch, horchte und schlich im Hause umher. Einmal, als er sich Eva gegenüber über die stechende Sonne beklagte, bemerkte er, wie sie ihr Gesicht und ihre Arme dieser Sonne entgegenhob, als sei gerade das, was ihn quälte, ihr eine Quelle der Lust. Durch solche Beobachtungen wuchs das Gefühl der Verlassenheit in ihm immer mehr. Er erinnerte sich der Zeiten, in denen Eva und er noch allein gewesen waren, und wie sie da, furchtbar allein und aufeinander angewiesen, sich geschworen hatten, einander niemals zu verlassen. Jetzt war Eva noch immer an seiner Seite, sie war nicht fortgegangen, aber es kam ihm vor, als entferne sie sich dennoch, ein wenig weiter mit jedem Tag. In seinem schrecklichen Mißtrauen zeichnete Adam jede Station dieser Entfernung getreulich auf. Er glaubte zu bemerken, wie bei seinen Worten eine leise Ungeduld über Evas Züge glitt. Wenn er ein längeres Ausbleiben ankündigte, meinte er, auf ihren Lippen ein Lächeln der Erleichterung zu sehen, und wenn er dann fortging, bildete er sich ein, daß ihre Stimme, die er aus der Ferne noch hörte, froher und heiterer klang. Einmal, als sie bei der Abendmahlzeit saßen, faßte er sie ins Auge und stellte fest, daß ihre Haut schlaff wurde und ihre Haare sich zu verfärben begannen. Er bemerkte auch, daß sie Schmerzen in den Gliedern hatte und sich nicht mehr so frei und anmutig bewegte wie vorher. Sie ist nicht jünger als ich, dachte er, aber sie tut, als habe sie unbegrenzte Zeit vor sich, ewige Zeit. Und dann dachte er plötzlich, sie weiß nichts, sie weiß es nicht, und er war über ihre Dummheit empört.

Nach dem Essen ging Eva noch auf den Hof hinaus, um das Spielzeug der kleinen Kinder zusammenzusuchen. Adam ging ihr nach und blieb bei ihr stehen und sah sie flehend an. Werde mit mir alt, wollte er sagen, werde mit mir alt. Aber natürlich brachte er diese Worte nicht über die Lippen, sondern begann sich statt dessen über die Mücken zu beklagen in einem wilden und verzweifelten Ton. Was du nur immer hast, sagte Eva und sah ihn kopfschüttelnd an.

In dieser Nacht beschloß Adam, Eva zu sagen, daß sie sterben müsse. Vielleicht hätte er es nicht getan, wenn nicht der Mondschein so hell im Zimmer und gerade auf Evas Gesicht gelegen hätte und wenn dieses Gesicht nicht so voll von Lebensentzükken gelächelt hätte im Schlaf. Aber dieser Anblick rief in Adam, der schon viele Stunden schlaflos gewesen war, eine dunkle Rachsucht hervor. Er weckte Eva auf, und Eva rieb sich die Augen und fragte, ob etwas mit den Kindern sei. Wir müssen sterben, sagte Adam, und es war ihm zumute, als beginge er einen Mord. Große Neuigkeit, sagte Eva spöttisch. Das weiß ich schon lang. Hast du dir keine Gedanken gemacht? fragte Adam, sobald er sich von seiner Überraschung erholt hatte. Was wir hier zurücklassen, ist unfertig und keinen Pfifferling wert.

Jemand wird es schon fertig machen, sagte Eva.

Die Kinder, sagte Adam streng, sind träge und leichtsinnig. Sie wissen nicht, was arbeiten heißt, und werden elend zugrunde gehen.

Es wird schon noch etwas aus ihnen werden, sagte Eva. Und was wird aus uns? fragte Adam und stützte seinen Kopf auf die Hand.

Wir bleiben zusammen, sagte Eva. Wir gehen zurück in den Garten. Und sie legte ihre Arme um Adams Hals und sah ihn liebevoll an.

Ist er denn noch da? fragte Adam erstaunt.

Gewiß, sagte Eva.

Wie willst du das wissen? fragte Adam mürrisch.

Woher meinst du, fragte Eva, daß ich die Reben hatte, die ich dir gebracht habe, und woher meinst du, daß ich die Zwiebel der Feuerlilie hatte, und woher meinst du, hatte ich den schönen, funkelnden Stein?

Woher hattest du das alles? fragte Adam.

Die Engel, sagte Eva, haben es mir über die Mauer geworfen. Wenn wir kommen, rufe ich die Engel, und dann öffnen sie mir das Tor.

Adam schüttelte langsam den Kopf, weil eine ferne und dunkle

Erinnerung ihn überkam. Gerade dir, sagte er. Aber dann fing er an zu lachen, laut und herzlich, zum erstenmal seit ach wie langer Zeit.

Robert Gernhardt

Ein Malermärchen

Es war einmal ein alter Maler, der merkte, daß es dem Ende zuging. Da versammelte er seine Familie und seine Freunde um sich, auf daß es ihm leichter falle zu scheiden. Doch je länger er sein Leben und Werk bedachte, desto sinnloser erschien ihm ersteres und desto wertloser letzteres, und schließlich ergriff ihn eine solche Trauer, daß er seine Erkenntnis nicht länger für sich behalten konnte.

»Nichts ist mir gelungen, nichts«, hub er an.

»Ach, was er wieder redet«, entgegnete darauf seine Gattin unter dem Kopfnicken der anderen. »Alles ist dir gelungen, alles!«

»Nein, nichts«, wiederholte der Maler düster. »Nicht einmal einen einfachen Eierbecher habe ich zu malen vermocht, nicht einmal den!«

»Nun hört euch das an!« rief sein ältester Freund entgeistert. »Dir sollte kein Eierbecher gelungen sein, ausgerechnet dir, dessen ›Stilleben mit Eierbecher‹ heute der Stolz der Staatsgalerie ist?!«

»Nun, der war in der Tat nicht ganz daneben, dieser Eierbecher«, räumte der Maler ein, »der war sogar ganz gut, da ich ihn mit heller Grüner Erde untermalt und dann ganz leicht mit Titanweiß, Ocker und etwas Königsblau dunkel gehöht hatte – aber ach, was bedeutet das schon? Fünfzig Jahre gemalt – und was bleibt? Ein Eierbecher! Als Eierbecher-Maler werde ich weiterleben, und die, die mich so nennen, werden tausendfach recht haben, habe ich es doch nicht einmal geschafft, einen einzigen Ast im Gegenlicht zu gestalten.«

»Ja, ist denn das zum Anhören!« stöhnte da der Sohn des Malers voller Schmerz auf. »Wie kannst du nur so etwas behaupten, du, dessen ›Baumgruppe im Gegenlicht‹ der unbestrittene Mittelpunkt aller Gegenlichtausstellungen war und ist?«

»Ach ja, die Baumgruppe«, erinnerte sich der Maler.

»Doch, die hatte was. Aber da hatte ich auch einen Abendhimmel unterlegt, auf dem es sich fast von selbst malte, mit dem spitzesten Pinsel gab ich das Blattwerk, Krapplack und Casslerbraun gemischt, erst dann setzte ich die Lichter mit fast unvermischtem Neapelgelb hell und einer Spur Laubgrün. Aber sonst? Mißraten, alles mißraten! Mißraten selbst die einfachsten Sujets; mißraten sogar der Versuch, einen Krug im Eck zu malen!«

»Der und mißraten?!« heulte da der Neffe auf. »Dein ›Krug im Eck‹, welcher heute in keinem Werk fehlt, welches auch nur den geringsten Bezug hat zum Thema Krug, Eck oder Innenräume überhaupt? Hörte man denn je eine unsinnigere Rede?«

»Ach der!« sagte der Maler versöhnlich. »Ja, dieser Krug war nicht übel. Alles in kalten Farben gehalten, und nur etwas warme Terra Pozzuoli in den helleren Partien des Kruges – doch, doch, das funktionierte. Aber was ist das alles schon? Gegen irgendeinen Velazquez beispielsweise?! Habe ich jemals ›Las Meninas‹ gemalt? Oder ›Die Übergabe von Breda‹? Oder auch nur einen ›Philipp der Vierte‹?«

Die um sein Bett Versammelten schwiegen betroffen. Dann endlich räusperte sich ein ergrauter Vetter und begann: »Nun ja, einen ›Philipp der Vierte‹ hast du freilich nicht –« doch er kam nicht dazu, den Satz zu Ende zu führen, denn auf einmal saß der Maler senkrecht im Bett und schrie: »Das weiß ich selber, daß ich keinen ›Philipp der Vierte‹ gemalt habe! Darüber brauchst du mich nicht zu belehren! Wie hätte ich den denn auch malen sollen? Ist doch schon längst über den Jordan, der Herr! Und hört endlich damit auf, mir dauernd den Velazquez vorzuhalten! Velazquez, Velazquez, Velazquez! Was hat denn der schon groß gemalt? ›Philipp der Vierte‹, ›Die Überga-be von Breda‹, ›Las Meninas‹ – so doll ist diese ganze spanische Mischpoke ja nun auch wieder nicht! Und wenn er die nicht vor dem Pinsel hatte, dann war er ganz schön verratzt, euer Velazquez. Oder gibt es von ihm einen ›Krug im Eck‹, eine Baumgruppe im Gegenlicht‹ oder auch nur ein ›Stilleben mit Eierbecher‹? Ha! Da könnt ihr lange suchen! Gibt's im Ve-lazquez-Œuvre nämlich nicht, ihr Caballero-Anbeter! Gibt es allerdings im selbst seiner Familie offensichtlich weitgehend unbekannten Œuvre eines anderen Malers – sein Name tut nichts zur Sache –, doch warum euch mit bescheidenen, wenn auch gut gemalten Sujets langweilen, da ihr offensichtlich nur Augen habt für die vordergründige Pracht pseudo-opulenter Hofmalereien?!«

Mit diesen Worten aber schlug der Maler die Bettdecke zurück, sprang aus dem Bett und rief, indes er wütend auf den Boden stampfte: »Hinaus! Alle hinaus! Geht doch zu eurem Velaz-quez, geht nur, aber habt wenigstens so viel Anstand im hispa-nophilen Leib, einen Sterbenden, der nebenbei bemerkt eben-falls Maler ist, wenigstens in seiner letzten Stunde mit eurer Velazquez-Anbetung zu verschonen. Hinaus!«

Erschreckt wichen Freunde und Familie, der Maler aber, da er ohnedies aufgestanden war, schaute in der Küche nach etwas Trinkbarem und begann, da er auf dem Rückweg zufällig an seiner Staffelei vorbeikam, rasch noch einen etwas verrutsch-ten Reflex zu korrigieren, welcher ihn auf seinem letzten Bild ›Zwei Schälchen‹ schon immer gestört hatte. Nach einer Stun-de war er derart gut in Fahrt, daß er gleich noch ein neues Bild begann, und so malte und malte er, und da er sicher nicht ge-storben ist, weil Malen und Sterben einander ausschließen – entweder das eine oder das andere –, malt er wohl noch heute.

F. K. Waechter
Manfred Helmes

Manfred Helmes sitzt an seinem Tisch und trinkt sein Bier. Es klopft.

Manfred Helmes: »Herein.«

Der mit einer Sense bewaffnete Tod tritt ein. Manfreds Haare richten sich vor Entsetzen auf. Der Tod tritt immer näher. Manfred Helmes schaut wie gelähmt auf ihn. Der Tod greift nach Manfred Helmes' Bierglas, trinkt es aus und versucht mit einem kühnen Sensenschwung den Kopf von Manfred Helmes' Leib zu trennen. Manfred Helmes duckt sich zur rechten Zeit, so daß ihm der Tod nur sein zu Berge stehendes Haar abmäht.

Manfred Helmes erhebt sich: »Mein Bier aussaufen, meine Haare abmähen – das macht man nicht mit einem Manfred Helmes. Da ist die Tür.«

Der Tod geht und schließt die Tür hinter sich.

Manfred Helmes: »Ist doch wahr.«

Quellenverzeichnis

Isabel Allende (geb. 1942)
Die Liebenden im Guggenheimmuseum. Aus dem Spanischen übersetzt von Svenja Becker. Aus: Die Geschichtenerzähler. Neues und Unbekanntes von Allende bis Zafón. Suhrkamp Verlag Frankfurt am Main 2008. © 2001 Isabel Allende.

Elizabeth von Arnim (1866-1941)
In Italien konnte nichts schlimm sein (Titel von der Herausgeberin). Aus: Elizabeth von Arnim, Verzauberter April. Roman. Aus dem Englischen von Adelheid Dormagen. © der deutschen Übersetzung Insel Verlag Frankfurt am Main und Leipzig 1992.

Jurek Becker (1937-1997)
Beim Wasserholen. Aus: Die Geschichtenerzähler. Neues und Unbekanntes von Allende bis Zafón. Suhrkamp Verlag Frankfurt am Main 2008. © 1962 Jurek Becker.
Die Klage. Aus: Jurek Becker, Nach der ersten Zukunft. Erzählungen. © Suhrkamp Verlag Frankfurt am Main 1980.

Peter Bichsel (geb. 1935)
Die Hemden. Aus: Peter Bichsel, Zur Stadt Paris. Geschichten. © Suhrkamp Verlag Frankfurt am Main 1993.
Mit freundlichen Grüßen. Aus: Peter Bichsel, Kolumnen, Kolumnen. © Suhrkamp Verlag Frankfurt am Main 2005.

Bertolt Brecht (1898-1956)
Das Paket des lieben Gottes. Eine Weihnachtsgeschichte. Aus: Bertolt Brecht, Prosa. © Brecht-Erben und Suhrkamp Verlag Berlin 2013.

Lily Brett (geb. 1946)
Das Auto; Vater. Aus: Lily Brett, New York. Aus dem Englischen von Melanie Walz. © Suhrkamp Verlag Berlin 2014.

Italo Calvino (1923-1985)
Das Pfeifen der Amseln. Aus: Italo Calvino, Herr Palomar. Aus dem Italienischen von Burkhart Kroeber. © Carl Hanser Verlag München 1985.

Julio Cortázar (1914-1984)
Die guten Investitionen. Aus: Julio Cortázar, Reise um den Tag in 80 Welten/Letzte Runde. Aus dem Spanischen von Rudolf Wittkopf. © der deutschen Ausgabe Suhrkamp Verlag Frankfurt am Main 2004.
Morsezeichen. Aus: Julio Cortázar, Die Erzählungen. Aus dem Spanischen von Fritz Rudolf Fries, Wolfgang Promies, Rudolf Wittkopf. © der deutschen Ausgabe Suhrkamp Verlag Frankfurt am Main 1998.

Eva Demski (geb. 1944)
Hugos letzter Winter. Aus: Weihnachtskatzen. Ausgewählt von Gesine Dammel. Insel Verlag Berlin 2012. © Eva Demski. Abdruck mit freundlicher Genehmigung der Autorin.

Max Frisch (1911-1991)
Auf Akrokorinth (Titel von der Herausgeberin). Aus: Max Frisch, Homo faber. Ein Bericht. © Suhrkamp Verlag Frankfurt am Main 1957.

Robert Gernhardt (1937-2006)
Ein Malermärchen. Aus: Robert Gernhardt, Kippfigur. Erzählungen. © Robert Gernhardt 1986. Alle Rechte vorbehalten S. Fischer Verlag GmbH, Frankfurt am Main.

Elke Heidenreich (geb. 1943)
Erika. Aus: Elke Heidenreich, Kolonien der Liebe. Copyright © 1992 Rowohlt Verlag GmbH, Reinbek bei Hamburg.

Ernest Hemingway (1899-1961)
Ein Tag Warten; Katze im Regen. Aus: Ernest Hemingway, Die Stories. Gesammelte Erzählungen. Deutsche Übersetzung von Annemarie Horschitz-Horst. Copyright © 1966, 1977 Rowohlt Verlag GmbH, Reinbek bei Hamburg.

Hermann Hesse (1877-1962)
Der Kavalier auf dem Eise. Aus: Hermann Hesse, Sämtliche Werke. Bd. 6: Die Erzählungen 1900-1906. Herausgegeben von Volker Michels. © Suhrkamp Verlag Frankfurt am Main 2001.

Langston Hughes (1902-1967)
Vielen Dank, M'am. Aus dem Amerikanischen von Brigitte Walitzek. Aus: Plötzliche Geschichten. Amerikanische Short-Shortstories. Herausgegeben von Robert Shapard und James Thomas. Copyright © 1994 by the Estate of Langston Hughes. Used by permission of Harold Ober Associates Incorporated, New York, USA. © der deutschen Ausgabe: S. Fischer Verlag GmbH, Frankfurt am Main 1991.

Marie Luise Kaschnitz (1901-1974)
Adam und Eva; Das Wunder. Aus: Marie Luise Kaschnitz, Gesammelte Werke in sieben Bänden. Herausgegeben von Christian Büttrich und Norbert Miller. Band 4: Die Erzählungen. © Insel Verlag Frankfurt am Main 1983 [Erstveröffentlichung: Das dicke Kind und andere Erzählungen. Krefeld: Scherpe 1952, und: Lange Schatten. Erzählungen. Claassen, Hamburg 1960].

Erich Kästner (1899-1974)
Das Märchen vom Glück. Aus: Erich Kästner, Wir sind so frei. Chanson, Kabarett, Kleine Prosa. Herausgegeben von Hermann Kurzke in Zusammenarbeit mit Lena Kurzke. In: Erich Kästner, Werke. Herausgegeben von Franz Josef Görtz. Carl Hanser Verlag, München-Wien 1998. © Atrium Verlag, Zürich, und Thomas Kästner.

Alexander Kluge (geb. 1932)
Blechernes Glück; Glückliche Umstände, leihweise. Aus: Alexander Kluge, Die Lücke, die der Teufel läßt. Im Umfeld des neuen Jahrhunderts. © Suhrkamp Verlag Frankfurt am Main 2003.
Das Prinzip Überraschung. Aus: Alexander Kluge, Das Bohren harter Bretter. 133 politische Geschichten. © Suhrkamp Verlag Berlin 2011.

Wolfgang Koeppen (1906-1996)
Die jüdische Hochzeit. Aus: Wolfgang Koeppen, Auf dem Phantasieroß. Prosa aus dem Nachlaß. Herausgegeben von Alfred Estermann. © Suhrkamp Verlag Frankfurt am Main 2000.

Luigi Malerba (1927-2008)
Schimpfwörter. Aus: Luigi Malerba, Taschenabenteuer. Dreiundfünfzig Geschichten. Aus dem Italienischen von Iris Schnebel-Kaschnitz. © der deutschen Ausgabe 1985 Verlag Klaus Wagenbach.

Isaac Bashevis Singer (1902-1991)
Die Prozeßparteien. Aus: Isaac Bashevis Singer, Ein Tag des Glücks und andere Geschichten von der Liebe. Aus dem Amerikanischen von Ellen Otten. © Farrar, Straus & Giroux. © der deutschsprachigen Übersetzung: Carl Hanser Verlag, München 1990.

Lisa St Aubin de Terán (geb. 1953)
Ein Haus in Italien (Auszug). Aus: Lisa St Aubin de Terán, Ein Haus in Italien. Aus dem Englischen von Ebba D. Drolshagen. Insel Verlag Berlin 2012. © Insel Verlag Frankfurt am Main und Leipzig 1995.

Kurt Tucholsky (1890-1935)
Ein Ehepaar erzählt einen Witz. Aus: Kurt Tucholsky, Gesammelte Werke. Herausgegeben von Mary Gerold-Tucholsky und Fritz J. Raddatz. Band 9. Rowohlt Verlag, Reinbek bei Hamburg 1993.
Erste Liebe. Aus: Kurt Tucholsky, Sudelbuch. Rowohlt Verlag, Reinbek bei Hamburg 1993.

F. K. Waechter (1937-2005)
Manfred Helmes. Aus: F. K. Waechter, Waechter. Diogenes Verlag, Zürich 2002. © F. K. Waechter-Erben. Abdruck mit freundlicher Genehmigung von Cornelia Volhard-Waechter.